U0103188

圖書館管理定律之研究

——科際整合研究取向——

廖又生／著

臺灣學生書局印行

The principle of Library Management: Interdisciplinary Approach

by

Yu-sheng Liao

Student Book Co., Ltd.

198, Ho-Ping East Road, 1st Section
Taipei, Taiwan, Republic of China 10610

謹以此書紀念

先父　明枝先生

自　序

　　圖書館管理是一門典型的科際整合學科，旨在追求館員們羣策羣力，以竟事功的圓滿境界，圖書館管理能否上軌道，是衡量圖書館組織現代化的唯一指標。本書之問世，乃個人管理教學生涯十年來的心得，也是一位圖書館從業人員爲我國圖書館事業邁向廿一世紀新紀元所提出的一個小獻禮，希望它的誕生，對圖書館管理問題之解決有所助益。

　　當然，提到科際整合取向之研究，首先要具備多學科的素養，就以本書而言，「圖書館」、「管理」、「定律」便象徵以三個學域的知識共同架構起來的研究主題，其中有圖書館學專業訓練始能完整了解圖書館技術服務及讀者服務作業程序；而管理科學可清晰界定圖書館事業機能與管理機能，是組織經營不可或缺的利器；另外法學則是規範性的學科，著眼於法則或定律的探討，藉它能輔助管理現象之觀察；倘能將「圖書館學」、「管理科學」、「法學」三者熔於一爐而治之，那麼研究的成果將更爲完美。吾人何其有幸，大學時代接受法學教育的洗禮，旋於碩士班主修圖書館學，博士班再專攻管理科學，勉強稱得上初具圖書館管理定律研究的基本條件，換言之，本書可以說是作者從大學

至博士階段，對管理科際整合研究的一大嘗試，也就在這樣的機緣下，本人決定了圖書館管理為這一生學術研究的方向，是無悔的抉擇、是不變的抉擇，也是受限於學科背景的唯一選擇。

圖書館管理乃是綜合科學與藝術所形成的一門專業，其科學層面著重於純粹理論的鑽研，藝術層面則須經由實務歷練以獲陶冶，作者不敏，希望本書之告成，可接續多年前拙著「圖書館組織與管理析論」一書中尚未研究的課題，而將圖書館管理與其他學科理論作一有機組合，使之較為豐富化；為此，本書採科際整合研究途徑，以定律貫穿首尾，除緒論及結論外，約略涵蓋三部份，分別為第一部份「圖書館管理哲學」，第二部份「圖書館作業管理」，第三部份「圖書館組織管理」，全書共計十六個專題，其中每一篇所引證之定律皆出自名家之手，且為工商企業廣泛沿用，但定律之適用須因地、因人、因事而推移，所以本書之撰寫除了藉以擴大圖書館管理研究的視野外，更寄望能給予業界同道一點經營的靈感，如蒙引作圖書館管理實務參考手冊，則將是本書最大的期盼，作者亦與有榮焉。

圖書館學是一不斷變動的科學，提及不斷變動，人生何嘗不如此，本書作者執筆之初正值成長過程中最具曲折性的變動時刻，茲當出版之際，要感謝所有啟蒙師長的黽勉與支持，他們是我暗淡歲月裏的曙光，讓我生活裏出現希望的契機，此外，還有許多親朋好友的鼓勵，亦使我再度燃起生命的動力，溫馨心路，間難或忘，謹以此書獻給所有關愛我的人。

凡事越追求完美，越發現欠缺，圖書館管理研究是一浩大的知識工程，囿於學殖未深，恐窮畢生之力，未能登堂入室，是

以，本書雖力求完整，掛一漏萬，或魯魚亥豕，仍難倖免，尚祈
學業界先進不吝賜正，以匡不逮。

廖又生　謹誌

於臺北中國文化大學
民國八十一年三月

圖書館管理定律之研究

目　次

圖 表 目 次

緒　　論

緒　　論

公元二○○○年圖書館管理新趨勢

有人認為二十世紀人類最偉大的發明不是汽車、不是火箭，而是管理學。著者更深信二十世紀這項人類最偉大的發明，將在二十一世紀展露鋒芒，這可由管理觀念普遍適用於各種行業之中，窺見端倪；也能由各式各樣的管理專著爭相出籠，得到印證；圖書館員在這充滿管理資訊的大時代裏，面對社會的挑戰、大環境的衝擊，應如何自處，整體圖書館事業徘徊於發展的十字路口，該何去何從，這是圖書館管理研究亟待解決的問題，著者思忖再三，擬以「追求卓越」、「知己知彼」、「突破瓶頸」及「反敗為勝」四者來勾勒本研究之問題背景、文獻探索、研究方法及研究旨趣，藉此，冀能預測公元二○○○年我國圖書館管理的新趨勢。

一、追求卓越

管理（Management）一詞源於義大利文 managgiare，原意為騎士訓練馬匹，就其意涵發揮，管理乃指主體領導客體（一如騎士駕馭馬匹）以達成組織目標的過程。主其事曰管，治其事曰理，凡管理活動一定是透過「管」的手段或過程來達到

「理」的目的，（中文管理一語，管字居先，理在其後，亦頗符合管理原意），❶這套管理原理濫觴於工商企業界，它最初應用於公司行號，幫助業主降低成本、提高品質、大量生產，其後適用的範圍日漸廣濶，除公司、工廠、銀行、旅館、餐飲業等營利組織（Profit Organization）引用管理方法外，圖書館、博物館、美術館、音樂廳、學校等非營利組織（Non-Profit Organization）亦紛紛跟進、積極採用，二次大戰結束後，各種專門領域的管理理論大放異彩、蔚為風尚，稱管理為主宰當代各種組織之巨靈，並不為過。

萬變不離其宗，各種專門管理對象容或有所不同，但根本原理原則卻無分軒輊，均在追求：提高行政效率，恢宏行政效能，此其一；培養管理通才，救治時代偏差，此其二；促進組織發展，幫助組織現代化，此其三。一言以蔽之，這三項管理的思潮，即是在追求卓越的經營；追求卓越可以說是當今管理研究的主要課題。❷

非營利組織管理起步較晚，它是現今管理研究的新興領域；檢視我國有關非營利組織之管理研究，圖書館管理（Library Management）算是得風氣之先，其成果並不遜於其他各種社教機構的組織與管理；今日我國政府正大力推動文化建設，各類型圖書館、資訊中心、學習資源中心陸續設立之際，如何有效整合人、財、物力以追求卓越，此為圖書館管理研究所關切的問題。

二、知己知彼

　　諺云：知己知彼，百戰百勝。管理研究本具跨學科性質，因此，管理學中各種研究學派爭奇鬥艷、相互輝映，有程序學派（The Process School）、計量學派（The Quantitative School）、行為學派（The Behavioral School）、系統學派（The System School）及權變學派（The Contingency School）等，皆分別採借其他學科知識來觀察管理；足見科際整合（Interdisci-plinary-Integration）是管理研究的一大特色，且管理現象的探討，向來有由上而下管理（Up-Down Management）及由下而上管理（Bottem-Up Management）兩種方式，前者偏重於經營理念或管理哲學的構定；後者則強調事務運作或決策執行，此二方式並存於企業管理學中。❸

　　反觀，圖書館管理有關圖書資料的組織與整理技術行之有年，體系完備，諸如選書、徵集、分類、編目、典藏、閱覽、流通、參考諮詢，甚至圖書館自動化等等，皆堪稱精巧之極至，可惜技術流程象徵由下而上式管理，圖書館面臨的難題猶存，事業機能缺乏管理機能的輔助，仍無法有效進行管理革新，結構性的改革取決於權力核心的價值取向，換言之，惟有注入由上而下的管理精義，才能扭轉圖書館經營的頹勢，職是之故，本研究傾力發展管理基本原理原則，用意無它，旨在刻劃圖書館組織整體性或高層次的經營理念，俾能宏觀圖書館管理的完貌；然作者必須附帶說明一點，廣角鏡式的取向也並不意謂著圖書館基本作業技術的不重要，這些作業流程中的每一步驟皆是圖書館管理附麗的

基礎，這恰如工商管理討論企業政策(Business policy) 時，雖然試圖提出一些治國平天下的大道理，但也必須仰賴經濟、會計、統計、電腦或數量方法等工具；走筆至此，本書十六個專題研究，乍看之下，似乎管理概念陳述過多而圖書館作業環節交待嫌少，倘若能洞悉作者竭智盡力之苦心，這種疑慮自然可獲澄清。

綜觀二次大戰以來，各種管理領域均採科際整合研究途徑以研究固有的管理問題，其發表的文獻亦頗為豐碩，圖書館管理研究也迎合這種趨勢，有關圖書館規劃（Library planning）❹圖書館行銷（Library Marketing）❺、圖書館與資訊科學(Library and Information Science)、❻圖書館與溝通(Library and Communication）❼等論著絡繹不絕地被提出，唯獨有關圖書館管理理論的建構尚不多見❽，本此，作者選擇以定律探討圖書館管理哲學之構想，主要便在擷各科之長以補己之短，裨建立起周徧性的圖書館管理體系。這是圖書館管理科際整合研究取向的先聲，採用這種方法並非標新立異、數典忘祖，而是懇切的呼籲圖書館事業應積極引用管理科學（Management Science) 的系統觀念來解決其現有的問題，超越象牙塔努力建立圖書館管理原則，乃是一件刻不容緩的事。

三、突破瓶頸

細數現今圖書館事業所遭遇的難題有經費短絀、人員不足、空間狹小、系統不靈、專業權威不振、館員地位低落等，業師沈寶環形容圖書館經營面臨四面楚歌的困境，❾最足以道出經營的

箇中滋味。二十世紀末的圖書館事業所呈現出黎明前的黑暗時刻，是無法以技術（Know-How）導向加以改變的，剪不斷、理還亂的圖書館行政問題，追根究底，仍舊是管理的問題，所以筆者以爲技術是醫治圖書館病象的止痛劑而已，它僅止於治標的浮面功效，要根治圖書館的機體違和，理該採用固本培元之道，用管理來開處方，這樣才能將圖書館從根救起；執此，圖書館管理研究似乎方法論（Methodology）的辨證遠比方法（Method）的引用來得重要，蓋方法涉及研究技術的沿用，讓研究者初步有「知其然」的認知，而方法論探討深層的理論構建問題，更令研究者進一步有「知其所以然」的感受，❿管理是雜家，科際整合研究取向在取他科之長時，要以理性審愼的態度來建立自己的經營哲學觀，否則，生吞活剝，大肆發展各種技術設備，終究於事無補，今後唯有以科學的哲學思考來修築圖書館管理理論的城堡，才是圖書館事業解除桎梏的利器，⓫它亦是未來圖書館經營「贏的策略」。

　　作者以個人性向的驅使用科際整合取向來研究圖書館管理，其研究方法將探文獻分析法（Documentation Analysis），依循描述（Description）、解釋（Interpretation）比較（Comparision）次第展開，⓬本書中每一個專題皆以定律（Law; Principle）或法則（Rule）爲典範（Paradigm），⓭因定律係指可適用於一定情勢，具有預見成果或價值的基本事象，它是屬於描述性、預測性而非規定性的陳述，⓮對傳播管理經驗，有震聾啓聵之功效，在圖書館管理缺乏科學性理論的今日，以定律作爲研究圖書館組織的模式或範例，乃不失爲一項值得嘗試的新

途徑 (Neo-Approach) 。本研究遍查社會科學文獻，選擇出這十六個定律貫穿本書，除指出研究之所在（locus）與研究重點（focus）外，同時亦寓有省思圖書館管理方法論的意涵。⑮

如衆所知，理論的建構是點滴累積的過程，從概念的界定、語意的陳述、假設的發展，到通則的建立，旨在描述、解釋並預測管理現象的變化，在圖書館經驗理論（Empirical Theory）稀少的情況下，將若干有事實支持的概念聯繫系統（卽定律）視作分析單元，實可收到以個體資料（micro-data）詮釋總體現象（Macrophenomena）的預期效果，這樣的研究取向正符合學術研究小題大作的道理。

社會科學中之定律雖遠不如自然科學簡潔，例如愛因斯坦的相對論只用 $E=MC^2$ 表示，其他像牛頓的萬有引力定律、波以耳定律等，也都以最少的變項（Variable）來解釋事象，然定律終不失執簡馭繁，據一止亂的本質，本書中所引定律皆出自名家手筆，具有優美（Elegant）、簡明（Simplicity）及精鍊（Parsimony）等特性，每一定律解析都可獨立成章，且每一定律與其他定律的聯繫，具有緊湊性（Coherence）及貫通性（Consistency），⑯就此而言，本書每一定律已兼備中型理論（The Middle Range Theory）之雛型。⑰

當作者研究過程接近尾聲，經由這十六個定律的啓廸，一時茅塞頓開，大有「輕舟已過萬重山」的豁然開朗心境，希望這些管理理論的演繹與歸納，可幫助圖書館事業突破管理瓶頸（Bottleneck），帶領其走出暗無天日的管理叢林（Management Jungle）。

四、反敗為勝

此處藉用管理巨人艾科卡自傳 (Iacocca-An Autobiogra-phy) 標題「反敗為勝」一語，目的即在勉勵圖書館事業當轉危為安、轉弱為強始能立於不敗之地，本書研究結果即是企圖幫助圖書館學與圖書館事業達成這項目的；具體而言，本研究宗旨有二：

㈠以定律作定向研究，喚醒圖書館學界留意圖書館管理理論的構建，俾使圖書館管理學的內容周延與完整。

㈡傳播觀念的火種，提供圖書館從業人員經營的靈感，以有助於管理實務問題之解決。

吾生有涯，而知卻無涯，本研究囿於人、財、物力的限制，以下幾個問題，將排除於本書之外：

㈠純粹屬於圖書館基層作業管理，過份細瑣，留予參考資料、參考服務或分類編目、圖書館自動化等領域進行深入研究，本研究只著眼於總體系統（Total　System）的管理諸面向探討。

㈡本書詮釋的對象以本國圖書館組織為主，歐美各國制度謹供參考，以免犯了唯「美」（美國）主義的毛病，畢竟管理要配合生態環境 (Ecological Setting) 來進行。

㈢限於時間、精力，書中每一定律在各型圖書館中適用的可行性實證，留待來日指導研究生論文時再予檢證，此處只就整體組織論述圖書館管理理論的建構。

縱觀以上管見，作者預言公元二○○○年圖書館管理的新趨

勢，將是：

追求卓越的經營熱潮。

知己知彼的創意革命。

突破瓶頸的管理策略。

轉敗爲勝的豐碩境界。

〔附　註〕

❶ 謝長宏，**管理新論**（臺北：三民，民國 69 年），頁 17-18。

❷ Thomas J. Peters and Robert H. Waterman, Jr., *In Search of Excellence* (New York: Harper & Row, 1982).

❸ Peter F. Drucker, *The Effective Executive* (New York: Harper & Row, 1967).

❹ 楊美華，**大學圖書館之經營理念**（臺北：學生，民國 78 年）。

❺ 范承源，「美國圖書館行銷與其應用上的一些問題」，**美國研究**，19 卷 3 期（民國 78 年 9 月）頁 31-50。

❻ 黃世雄，**現代圖書館系統綜論**（臺北：學生，民國74年），頁9-18。

❼ Frederick Williams, "The Library and the Communication Revolution." *Wilson Library Bulletin* Vol. 57 No.1 (Sept. 1982), pp. 39-43.

❽ 高錦雪，**圖書館哲學之研究**（臺北：書棚，民國 74 年）。

❾ 沈寶環，**圖書館與圖書館事業**（臺北：學生，民國 77 年），頁174。

❿ ＿＿＿＿，「我們亟需一個三民主義化的圖書館哲學」，**研考月刊**，10 卷 3 期（民國 75 年 3 月），頁 29-36。

⓫ 高錦雪，**角色定位與圖書館之發展**（臺北：書棚，民國 78 年）。

⓬ Charles H. Busha & Stephen P. Harter, *Research Method in Librarianship: Technique and Interpretation* (New York: Academic Press, 1980), p. 169.

⓭ T. S. Kahn, *The Structure of Scientific Revolutions* (Chicago: The Univ. of Chicago Press, 1970), p. 23.

⓮ Thomas J. Peters, *Thriving on Chaos: Handbook for a*

Mangement Revolution (New York: Alfred A. Knopf, 1987).

⑮ C. B. Joeckel, ed. *Current Issues in Library Administration* (Chicago: Univ. of Chicago Press, 1939), p. 7.

⑯ Henry Mintzberg, *The Nature of Managerial Work* (Englewood cliffs, N. J.: Prentice Hall, 1973).

⑰ Robert K. Merton, *Social Theory and Social Structure* (Glencoe, Ill.,: The Free Press, 1937), p. 5.

〔參考書目〕

中文部份

王振鵠。圖書館管理論叢。臺北：學生，民國 73 年。

————。建立圖書館管理制度之研究。臺北：行政院研究發展考核委員會，民國 74 年。

李華偉。圖書館學的世界觀。臺北：學生，民國80年。

沈寶環。「如何因應變局─圖書館經營首要問題初探」。臺北市立圖書館館訊 9 卷 1 期（民國80年 9 月），頁2-4。

范承源。「美國圖書館行銷與其應用上的一些問題」，美國研究第 19 卷 3 期（民國 78 年 9 月），頁 31-50。

胡述兆，吳祖善。圖書館學導論。臺北：漢美，民國 78 年。

徐木蘭。行爲科學與管理。臺北：三民，民國72年。

高錦雪。圖書館哲學之研究。臺北：書棚，民國 74 年。

黃世雄。現代圖書館系統綜論。臺北：學生，民國 74 年。

楊美華。大學圖書館之經營理念。臺北：學生，民國 78 年。

繆全吉。行政革新研究專集，二集。臺北：聯經，民國79年。

藍乾章。圖書館行政。臺北：五南，民國 71 年。

英文部份

Anderson, A. J. *Problem in Library Management*. Littleton. Colo: Libraries Unlimited, 1981.

Boaz, Martha, ed. *Current Concepts in Libray Management*.

Littleton. Colo: Libraries Unlimited, 1979.

Busha, Charles. H. & Harter, Stephen. P, *Research Method in Librarianship: Technique & Interpretation.* New York: Academic press, 1980.

Campbell, J. P., Dunnette, M., Lawler, E. E., & Weick, Jr., K. E. *Managerial Behavior, Performance, and Effectiveness.* N. Y.: McGraw-Hill, 1970.

Carson, Rachael, *Silent Spring.* Boston: Houghton Mifflin, 1962.

Connor, P. E. *Dimensions in Modern Management.* Boston: Houghton Mifflin, 1974.

Drucker, Peter. F. *Management: Task, Responsibility, Practices.* London: Heinemann, 1974.

———, *The Practice of Management.* N. Y.: Harper & Row. 1954.

Ellis, David O., & Ludwig, Fred J. *Systems Philosophy.* Englewood Cliffs, N. J. : Prentice-Hall Inc., 1962.

Feigl, H & Brodbeck, M. *Readings in the philosophy of science.* New York: Apleton, 1953.

Fenstermacker, Roy. "Managing technology." *Management Review* 58 (April 1969): 34-45.

Georgi, Charlotte, & Bellanti, Robert, eds. *Excellence in Library Management.* N. Y.: Haworth press, 1982.

Glueck, William F. *Management.* Hinsdale, Ill.: The Dryden press. 1977.

Greiner, Larry E. "Evolution and Revolution as Organization Grow". *Harvard Business Review* (July-August 1972): 37-

46.

Hage, J and Aiken, M. "Routine Technology, Social Structure and Organizational Goals." *Administrative Science Quarterly* 14 (1969): 366-376.

Hamelman, Paul W. "Missions, Matrices and University Management." *Academy of Management Journal* (March 1970): 35-47.

Higginson, M. Valliant. "Management by Rule and by policy". in *Management Policies I*. N.Y.: American Management Association, 1966.

Hodgetts, Richard M., *Management: Theory, process and practice*, Philadephia: W. B. Sauders Company, 1970.

Hunt, Raymond C., "Technology and Organization," *Academy of Management Journal* (Sept. 1970): 235-252.

Josey, E. J. ed *New Dimensions for Academic Library Service*. Metuchen, N. J.: Scarecrow, 1975.

Kerlinger, F. N. *Foundations of Behavioral Sciences*. New York: Holt, Rinehart and Winston, 1973.

Lin, N. *Foundations of Secial Research* New York: McGraw-Hill, 1976.

McCabe, Gerald B & Kreissman. Barnard, eds. *Advances in Library Administration and Organization: A Research Annual*, Greenwich, Conn.: JAI Pr., 1985.

Negandhi, A. R. & Etafen, B. D. "A Research Model to Determine the Applicability of American Management: Know-How in Differing Cultures and/or Environments."

Academy of Management Journal, (December 1965): 309-318.

Popper, Karl R. *The Logic of Scientific Discovery.* New York: Basic Books, 1959.

Reeser, Clayton and Loper Marvin, *Management: The Key to Organizational Effectiveness,* Glenview, Illinois: Scott & Foresman Co., 1978.

Steiner, George A. *Managerial Long-Range Planning.* New York: McGraw-Hill Book Company, 1963.

Stueart, Robert. *Academic Librarianship: Yesterday, Today, and Tomorrow.* New York: Neal-Schuman, 1982.

Thompson, James. *An Introduction to University Library Administration.* 2nd. rev. ed. London: Clive Bingley, 1974.

Wheeler, Joseph L., and Goldhor, Herbert. *Practical Administration of Public Libraries.* N. Y.: Harper & Row, 1962.

圖書館管理哲學

圖書館學書目彙編

第一篇

從「圖書館學五律」
論圖書館組織系統分析

從「圖書館學五律」
論圖書館組織系統分析

一、引　言

展望公元二〇〇〇年的到臨，資訊文化之形成，機構性社會 (Society of institution) 現象益加顯著，知識經濟 (Knowledge Economy) 產生，使資訊與市場緊密結合，圖書館組織儼然已成為資訊服務的重鎮，因此，其如何有效突破現行體系 (Existing System) 的困境，以嶄新的風格來發揮它應有的功能，這乃是圖書館組織系統追求生存 (Survial)、發展 (Development) 與進步 (Progress) 的唯一憑藉。

眾所周知，圖書館管理的內涵在求有系統的帶動圖書館內之人、財、物力，使其朝向既定的目標 (Setting goal) 運作，並期順利圓滿完成任務的整體過程。本此以觀，圖書館組織系統不失為圖書館管理的主導巨靈 (Leviatnan)，一切圖書館業務活動莫不在系統架構中進行「輸入（Inputs）」、「轉換（Conversion）」與「輸出（Outputs）」，同時更由系統本身來適應 (Adjustment) 外在環境的變化，吾人幾乎可說：系統經營的成敗，關係著圖書館事業發展之榮枯。

本文作者擬以系統分析 (System Analysis) 研究途徑，引用素負盛名的「圖書館學五律（Five Laws of Library

Science）」來評述圖書館組織系統的運作，希望藉此可爲急遽變遷中的我國圖書館事業指出一條系統操作的軌跡，俾使圖書館組織系統面對資訊技術（Information Technology）衝擊之際，有接受變遷挑戰（The challenge of change）的能力；從而重塑圖書館組織系統的新形象。

二、圖書館學五律的緣起及運用

圖書館學五律係印度圖書館學家阮甘納桑(S. R. Ranganathan）所創，阮氏爲當代著名的圖書資訊分類專家，於1933年提出冒點分類法（Colon classification），氏原爲數學教師，1924年任馬德拉斯大學（University of Madras）圖書館館長，同一年，他入英國倫敦大學攻讀圖書館學，並開始發展他的分類理論，其以一系列的法則（Canons）演繹及歸納出一套嚴謹的圖書分類體系；阮甘納桑於1967年出版「圖書分類導論（Prolegomena to Library Classification）」一書，此一鉅著與其1931年所著「圖書館學五律」齊名，❶該二典籍皆提到五律：

1. 圖書是爲利用而存在（Books are for Use）。
2. 每位讀者要有他自己的書（Every reader has book）。
3. 每本書都需要有它的讀者（Every book its reader）。
4. 節省讀者時間（Save the time of the reader）。
5. 圖書館爲成長中的有機體（Library is a growing Organism）。

這五個定律起源於冒點分類法靈感的捕捉，它原本是爲圖書

分類而發，其後阮氏著有「參考服務 (Reference Service)」
一書，再次重申圖書館技術服務工作的目的是要使參考服務可行
而有效，他亦引圖書館學五律來闡明參考工作的重要性，❷ 直到
1976年西拉 (Jesse H. Shera) 受到這五項法則的影響，也有系
統的構建其以服務爲中心的圖書館學理論體系，❸ 晚近圖書館學
名家蘭開斯特 (F. W. Lancaster) 也以圖書館學五律來論述圖
書館評鑑 (Library　Evaluation) 的內涵❹。準此，可見圖書
館學五律由圖書分類出發，已被用於引證參考服務、圖書館學理
論發展及圖書館評鑑工作等等，其應用的範圍日漸廣泛；阮甘納
桑所建立的圖書館學五律，堪稱爲圖書館學中之首要定律。

　　如從理論建構的立場來盱衡圖書館學五律的本質，誠可謂這
五項法則乃是圖書館學內唯一典型的概念架構 （Conceptual
Framework)，❺ 其顯然超脫於定律（Law）的範圍，有邁向
「中程理論 (The　Middle-Range　Theory)」，甚至「整體
性理論（The　General　Theory）」之氣勢，❻ 但若以圖書
館哲學 (Library　Philosophy) 的觀點來認定，阮甘納桑的五
律應屬較具體的行事方針，不算是抽象理論的基礎，蓋狹義的哲
學思緒，慣以形上學或知識論的尺度來探討圖書館的理念，職是
之故，圖書館學五律自然成爲「如何做好圖書館工作。」的實踐
信條，❼ 經這層方法論（Methodology）的辨證及省思，得知
圖書館學五律科學的意含遠重於哲學的色彩，無怪乎它常被引用
於圖書館各項業務機能的詮釋。

　　沈師寶環嘗言：圖書館學是一種偏重行動的科學；圖書館學是
一種不斷變動的科學；圖書館學是一種進入自動的科學。❽ 由於

其重視「行動」、「變動」和「自動」，圖書館工作者當不能以「書籍保管者（Bookeepers）」自居，只從事於文獻的收集、組織及保存；今日圖書館從業人員尤要積極從事資訊的獲取、儲存及供應，亦卽要以「資訊守門人（Information Gatekeepers)」的角色來宏揚圖書館事業的力行哲學。這種由消極轉變爲積極、以功能替代結構、將靜態化爲動態的發展取向，不正是阮甘納桑圖書館學五律講究實踐精神的本意。筆者從系統管理 （System Management) 解析圖書館學五律的結構，不難發現這五項法則就是「系統」(System) 與「環境」(Environment) 交易後的動態平衡體 (Dynamic Equilibrium Entity)。茲以圖 1-1 表示如下：

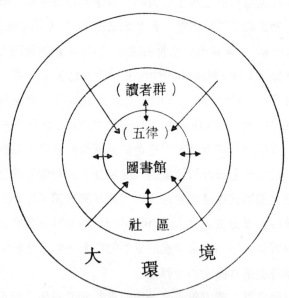

圖 1-1：圖書館學五律下的動態平衡體系

從圖 1-1 可知，圖書館必須生存於社區環境之中，社區環境，主要以讀者羣 (Patron　Community) 為首，它是圖書館系統的「個體環境 (Micro-Environments)」，另有更外層的社會思潮，含政治、經濟、法律、技術、社會、文化等等因素，構成圖書館的「總體環境 (Macro-Environments)」，圖書館（系統）便在內、外環境的交叉壓力下先求適應生存，再求成長繁榮，揆諸圖 1-1 系統與環境的交互作用下，圖書館與讀者間存在雙向溝通 (Two-Way Communication) 的事實，故以雙向箭號表明二者間的社會互動(Social　Interaction)關係，即圖書館學五律中的第一到第四律便是適應內環境的體現；而外環境對圖書館組織系統的衝擊，常是單向傳播 (One-Way Communi-cation) 的方式，諺云：「盡人事，　聽天命。」圖書館唯有秉持人定勝天的精神，整合 （Integration ） 內部力量以求適應外在變遷，因之，阮甘納桑於五律最末道出：「圖書館是成長中的有機體。」這項法則的目的在適應大環境的瞬息萬變。縱觀圖書館學「動」的現象，無一不在四面八方的環境力量迫使下，求取動態平衡。一言以蔽之；圖書館學五律中之前四律追求「讀者導向 (User oriented)」，第五律講究「發展導向 （Develop-mental oriented)」，這樣的理論結構既能「方便讀者」又可「利於管理」，❾ 難怪圖書館從業人員人人將「圖書館學五律」奉為實務運作之圭臬。

三、圖書館學五律與圖書館組織系統

圖書館學五律是圖書館系統設計的根本思想，這種系統研究

途徑濫觴於1960年代，圖書館界在1970年左右引進管理科學中之系統概念，以構定圖書館系統，⑩然追本溯源，系統一語首由奧國生物學家貝脫蘭菲（Ludwig Von Bertalanffy）提出，貝氏並建立了一般系統理論(General System Theory, GST)，⑪在其後有布耳丁（Kenneth E. Boulding）提出系統層次（level of systems）觀，布氏將宇宙天體細膩劃分爲九大系統，⑫從無機到有機、由物理到人文，層層相維、井然有序，⑬迨二次大戰結束以後，各個學域紛紛建立系統理論，其中聞名遐邇者有帕生斯（Talcott Parsons）的社會系統理論（Social System Theory）、⑭卡斯特與羅森威 (Fremont E. Kast & James E. Rosenzweig）的環境系統理論（Environment System Theory）⑮、伊斯頓（David Easton）的政治系統理論 (Political System Theory) ⑯等，一時系統原理在社會科學中蔚爲風尙。反觀，圖書館事業於1970年代所創建的系統理論，還停留在輸入 — 轉換 — 輸出（I-C-O）階段，系統架構初具，但仍舊粗糙。⑰與圖書館學五律所揭示的「方便讀者」及「利於管理」的旨意不盡相符，所幸，圖書館學者不遺餘力的將系統軀殼賦予血肉與靈魂，其中貢獻最大者爲沈寶環教授，沈師以圖書館與有生命有機體比照，建立了圖書館系統理論 (Library System Theory) 的雛形，兹以表1-1示明於后：

這種將圖書館視爲一個有生命有機體的創見，可說是生物學上 GST 在圖書館中首度的應用，它不是生硬移植其他學域的系統理論，而是在 GST 哲學基礎上建築屬於圖書館學獨有的系統理論，沈氏渾厚嚴謹的理論體系，使空洞的圖書館系統骨

表 1-1　圖書館與有生命有機體的比照表

生命的要素 Elements of Living Organs	圖　書　館　比　照　活　動 Matching Actions of Libraries
誕　　生	圖書館的建立。
組　　織	圖書館的編制。
繁　　殖	分館的設置。
新陳代謝	以新書代舊書，新版代舊版。 以較好的書代替不合用的書。
吸　　收	購置新穎合用的圖書資料。
消　　化	圖書整編程序。
排　　泄	清除陳舊、過時的圖書資料（Weeding）。
細　　胞	經過整理上架的書刊，各有其相關位置 （Relative Location）。
成　　長	書刊的增加，（西文稱之為 Growth of Collections 而不用 Increase，實具有深 意，盲目的添置則為畸形成長，有計劃的 選購才可達到平均成長的目的）。
保　　健	館室秩序整潔的維護，空氣的流通，溫度 的調節，光線照明的注重等。
血液循環	圖書的流通、出納。
自　　衞	出納控制、防盜與安全設備。

資料來源：沈寶環，「圖書館自動化問題再商榷」，**中國圖書館學會會報**，第35期（民國72年12月），頁78-79。

架，頓時成為生趣盎然的有機體（Organism），厥功至偉，稱
其為圖書館系統理論之先驅人物（Pioneer of Library Sys-

tem Theory)，實不爲過。

圖書館既被定位爲一開放的有機體（Open Organism），它就有如人體一般，是一個整體性的總系統（Total System），由消化系統、循環系統、呼吸系統等次級系統（Subsystem）所組成，這種情形，可以圖1-2表示之：

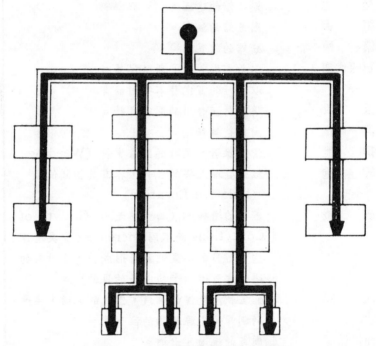

圖 1-2：圖書館組織系統剖面圖

從圖1-2中可窺測到：系統乃是規律化的交互作用或相互依存的事物所結合，此結合乃是爲達成共同目的的整體，⓲圖書館在開放系統的假定下，系統操作必須認眞考慮以下幾項問題：

1.圖書館組織的重要組成單元。

2.圖書館組織中各組成單元間的相互依存關係。

3.圖書館組織中各組成單元間聯繫以及調整的過程。

4.圖書館組織的中心目標或功能宗旨。

5.圖書館組織所生存的環境。

以上這一系列的問題乃是研究圖書館組織系統的重要課題，而其實際功能的履行委諸圖書館內各部門來達成，依柴普曼（Edward A. Chapman）等人研究，圖書館系統可劃分為：採訪次級系統（Acquisitions Subsystem）、編目次級系統（Cataloging & Classification Subsystem）、流通次級系統（Circulation Subsystem）、參考次級系統（Reference Subsystem）、期刊管理次級系統（Serials Control Subsystem）及行政次級系統（Administration Subsystem）等六個次級系統，❿它們彼此間密切關聯、相互依存，且必然產生交互作用，最後形成一整體性的圖書館總系統（Total Library System），可以圖1-3表示：

圖1-3與圖1-1旨趣相近，兩者均在表露圖書館總系統的經營在使「讀者導向」和「發展導向」二使命相輔相成、並行不悖，有如車之二輪、鳥之雙翼，缺一不可。執此，圖書館內部單位分工合作、各有所司，其交互作用且相互依存，旨在求圖書館目標或功能的完成，這豈不是經由各次級系統來落實「書貴乎用」、「讀者有書」、「書有讀者」及「節省時間」四大信念（即圖書館學五律之前四律），繼之，在對內整合後，更求其對外可適應社區環境，亦就是以穩健經營的方式來追求圖書館系統的茁壯與成長（即圖書館學五律之第五律目標的追求）。

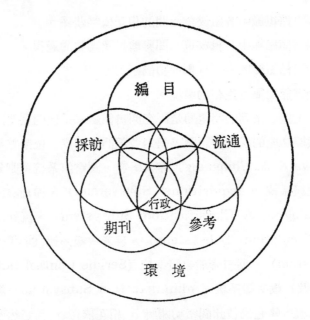

圖 1-3：圖書館總系統

資料來源：F.E. Kast & James E. Rosenzweig, *Organization and Management: A System Approach* (N. Y.: McGraw Hill, 1974), pp. 109-112. 略加修正以成本圖。

四、圖書館組織系統設計與分析

阮甘納桑五律可作爲圖書館組織系統的設計藍圖，其前三律提及：

1. 圖書館是爲利用而存在。

2. 每位讀者要有他自己的書。

3. 每本書都需要有它的讀者。

　　觀其意旨，主要在鼓吹圖書館事業應當著重「功能」（Function），圖書館資源既要「合用」，更要「活用」，❷ 因此，國內圖書館學家也分別引用圖書館學五律以闡釋各項功能的重要性，較具代表性者有：

　　㈠藍乾章教授：以「五律」論證採訪業務機能。❷

　　㈡何光國教授：以「五律」論證分類編目機能。❷

　　㈢胡歐蘭教授：以「五律」論證參考資訊機能。❷

　　㈣楊美華教授：以「五律」論證評鑑業務機能。❷

　　著實而言，阮氏之前三律目的在使圖書館可有效進行館藏規劃與發展，顯然側重於各項事業機能的發揮，而第四、第五兩定律則再揭示如下：

　　4.節省讀者的時間。

　　這項定律與高科技（Hi-tech）介入圖書館有關，例如唯讀型光碟片（CD ROM）、電子郵件（Electronic Mail）等多媒體資料，它們通常採用線上資訊檢索方式，可充份節省讀者檢索資訊所耗費的時間。

　　5.圖書館是一成長中的有機體。

　　這是圖書館系統內部設計及分析之後，因應環境、追求發展的過程，圖書館是一個有生命的有機體，它的成長及發展不應盲目注重量的增加，更應留心品質是否提昇。

　　綜合以上這五項系統設計的基本思想，可歸納出：圖書館學五律之前四律是構定系統本體以及其內部分部化（Departmentalization）的指引；而第五律則是喚醒系統經營勿忽略超系統（Suprasystem）——即環境因素的影響力。所以，不論對內

或對外，圖書館系統的運作必先講究內部結構的精良、成員的努力、機器的靈活運轉，始能對外求得卓越的表現、良好的風評。總之，系統科學（System Science）裏，系統與環境的關係一如次系統與總系統的關係，交互作用及相互依存（Interaction & Interdependence）特質仍舊貫穿於其間，圖書館系統本質上是一表裏一致、內外呼應的開放性有機體。前面所提及之藍乾章、何光國、胡歐蘭及楊美華四位教授要引圖書館學五律來詮釋圖書館動態經營現象，其故亦在此。

圖書館組織系統設計，秉於阮甘納桑五律之啓示，似可以圖1-4勾劃如下。

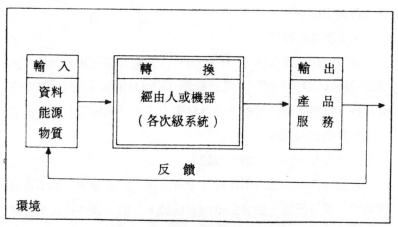

圖 1-4：圖書館系統基本模式

從圖1-4模式分析，得知「輸入」是圖書館投入的各項資源，含資料、能源、物質等，經「轉換過程」，即管理程序（management process），將資料轉變成資訊，如採訪、分類、編目、典藏等作業過程，最後再將輸入的各項資源轉換成「輸出」，

如閱覽、流通、參考、社羣服務等。同時有環境對系統輸出的反應流——即反饋（Feedback），作爲修正或調整系統經營的指標。圖書館系統便在環境（一如次級系統存於總體系統內）的孕育下生存與成長。圖書館既是外在環境的次系統，內部就須各階層分工合作、協同一致以獲致其終極目標。❷ 茲再以圖 1-5 表明圖書館內部的分工狀態：

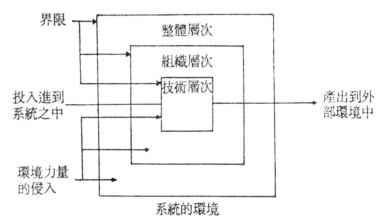

圖 1-5：圖書館系統內三階層之分工

按諸圖 1-5，可知系統內部分工之大要，由此更可整理出系統管理的幾項重點：❷

1. 圖書館是一個外在環境系統中的開放系統（Open System）：

圖書館無法與讀者或環境隔離，它是正宗的開放系統，其充份表現對內整合與對外適應的機能。

2. 圖書館是一個抗熵作用（Negative Entropy）的系統：

熵（Entropy）是熱力學的概念，象徵機能減退，圖書館靠著反饋流，可使輸入——轉換——產出、生生不息、永不墜落。

3.圖書館具有邊界性 (Boundaries) ：

它的界限是可以滲透的，其邊緣部門，例如採訪、人事等單位可發揮邊界防守的機能，過濾雜質、精挑細選。

4.圖書館是一個層層相維的系統 (Hierarchy of System) ：

依手段 —— 目的連鎖 (Means-End Chain) 設計，圖書館實為一個「房中有房 (Room-within-rooms structure) 」的組織，個人、團體、部門及單位層層相維、交錯重疊。

5.圖書館的成長是經由內部精心設計 (Growth through internal elaboration) ：

圖書館不斷調整其內部組織，技術層次、組織層次及整體層次三者並駕齊驅、分立之中仍相連屬，使組織更成熟與完整。㉗

6.圖書館是一個反饋體系 (Feedback System) ：

圖書館藉此以維持穩定 (Homeostasis) 或動態平衡，同時繼續自外界輸入能源與能量，而有助於系統自身的調整。

由以上這六項圖書館經營的原則檢視，我國圖書館事業發展亟應改絃更張、積極努力迎頭趕上的地方有：

1.過份重視維持性機能而忽略適應性機能：

系統有維持及適應的機能 (Maintenance and Adaptive Mechanisms) ，前者是消極的、被動的、保守的，後者是積極的、主動的、前進的，系統卽靠這兩種力量取得組織平衡；我國圖書館長期受到「藏書樓」刻板觀念的影響，加上館員公務員化的結構設計，顯得落後、老大，而沒有朝氣，如何扭轉守成有餘、進取不足的頹勢，正待吾輩共同努力改造之。

2.系統經營常尋求剛性的最佳方法 (a rigid optimal solution)：

除少數專門圖書館外，大多數圖書館都在複雜的法規規範之下，追求「最佳法則（one best way）」，殊不知圖書館系統動態經營講究「殊途同歸（Equifinality）」性，這樣圖書館方可在權變、彈性的法則下解決組織所面對的問題，所以作者認為從圖書館管理的立場而言，此刻應當是適切檢討各個圖書館法令規章之良機，蓋惟有如此，圖書館經營始能成為真正的開放性有機體（即符合阮氏第五律的宗旨）。

3.圖書館次級系統分化（Differentiation）不完整：

以事業機能而言，生產（採編）、財務、人事、行銷（推廣）及研究發展五種功能須兼備的系統，才算完整的組織結構，今日我國圖書館只有生產線（採編閱連串）原始型模設計，其他四機能分化不十分明顯，有些地方性公共圖書館雖設有推廣部門，然國家及大學圖書館卻付諸闕如，此種先天性殘缺的結構，對圖書館的發展相當不利，尤其是與「書貴乎用」、「讀者有書」、「書有讀者」（第一律、第二律及第三律）的理念大相逕庭。

4.圖書館效率與效能（Efficiency & Effectiveness）的評估不積極：

圖書館系統經營，受出版品污染(Publication Pollutions)的影響，整體生產力（Productivity）的提昇，是圖書館管理面對的重要課題，所幸；新光碟技術的開發已顯著縮短讀者檢索資訊的時間（似乎已符合阮氏第四律宗旨），❷但我國圖書館以印刷品為導向（Printed Oriented）的情形猶存，將來多媒體（Multi-media）組件的普及、生產力得否提高，能不能以最低

的成本獲得最高的效益，這些都待業界同道羣策羣力，以較客
觀、量化的方法加以評估之。㉙

5.圖書館人力（Manpower）輸入的邊界防守功能未發揮：

　　所謂邊界，乃指系統與環境的交切面（interface），它賦
予系統活動的範圍（domain），如衆所知，圖書館學是一門專
業（Professionalism），館員培養有一定的途徑，專業館員地
位一如律師、醫師一般，特重專業技能及素養的薰陶，無法揠苗
助長或妄加取代，但我國由於圖書館組織地位低，從屬性強，機
關首長常任意安插非專業人員（Non-Professionals）入館㉚，
圖書館館長、人事單位如未能發揮邊界防守機能，那麼圖書館專
業權威將無從樹立，館員社會地位焉能提高。

五、結論與建議

　　「苟日新，日日新，又日新。」圖書館組織系統是一個最具
代表性的開放系統，動的本質（dynamic nature）是圖書館組
織與管理的特徵；圖書館組織結構的分析與設計經過阮甘納桑五
律的詮釋，建立了頗爲完整的理論體系，諺云：「哲學爲體，
科學爲用。」我國圖書館事業值此新舊雜陳、青黃不接的轉型時
期，文化失調（Cultural lag）的普遍化景象清晰可見；此時此
地圖書館組織亟需以系統規劃（System planning）的方法來
匡正社會過渡期（Transitional period）所帶來的迷失，㉛理
論的探索尚待實務的驗證，我國圖書館學界津津樂道圖書館學五
律之餘，若能透過系統分析的途徑將其發揚光大，相信家喻戶
曉、膾炙人口的五律，其影響將更爲廣遠。

〔附　註〕

❶ S. R. Ranganathan, *The Five Laws of Library Science* (London: Edward Goldston, 1931).

❷ ——, *Reference Service* (London:Asia pub. House, 1961), pp. 54-60.

❸ Jesse H. Shera,*Introduction to Library Science* (Littleton, Colo.: Libraries Unlimited, 1976).

❹ F. W. Lancaster, *If you Want to Evaluate Your Library* ···(Champaign, Ill.: Univ. of Illinois, Graduate School of Library & Information Science, 1988).

❺ Bernard S. Phillips, *Social Research* (New York: The Mac Millan Company, 1966), ch. 1.

❻ Robert K. Merton, *Social Theory and Social Structure* (Glencoe, Ill.: The Free Press, 1937), p.5.

❼ 高錦雪，**圖書館哲學之研究**（臺北：書棚，民國74年），頁105-111。

❽ 沈寶環，「圖書館學趨勢」，**圖書館學**（臺北：學生，民國63年），頁15-25。

❾ 何光國，**圖書資訊組織原理**（臺北：三民，民國79年），頁53。

❿ Alan R. Sammuels and Charles R. McClure, *Strategies for Library Administration:Concepts & Approaches* (Littleton, Colo.: Libraries Unlimited, 1982), pp. 16-18.

⓫ Ludwig Von Bertalanffy, "General System Theory:A New Approach to Unity of Science". *Human Biology* (Dec. 1951), pp. 302-361.

⑫ Kenneth E. Boulding, "General System Theory:The Skeleton of Science". *Management Science* (April 1956), pp. 197-208.

⑬ Ibid.

⑭ Talcott Parsons, *Structure and Process in Modern Society* (N.Y.: The Free Press, 1960).

⑮ Fremont E. Kast & James E. Rosenzweig, *Organization and Management: A System Approach* (N.Y.: McGraw Hill, 1974).

⑯ David Easton, *The Political System* (New York:Knopf, 1953).

⑰ Rosemary Ruhig Du Mont, "A Conceptual Basis for Library Effectiveness", *College & Research Libraries* 41:2 (March 1980), p. 106.

⑱ David L. Sill ed. "General System Theory" in *International Encyclopedia of the Social Sciences* Vol. 15 (N.Y.: MacMillan Co., 1968), p. 453.

⑲ Edward A. Chapman, Paul L. St. Pierre, and John Lubans, Jr., *Library System Analysis Guidelines* (New York: Wiley-Interscience, 1970), pp. 11-12.

⑳ 沈寶環，**圖書館學與圖書館事業**（臺北：學生，民國77年），頁25。

㉑ 藍乾章，「圖書館的技術服務：一般資料的組織與整理」，**圖書館學**（臺北：學生，民國63年）頁290。

㉒ 同註⑨。

㉓ 胡歐蘭，**參考資訊服務**（臺北：學生，民國71年），頁10-12。

㉔ 楊美華，**大學圖書館之經營理念**（臺北：學生，民國78年），頁90-

92。

㉕ F. Kenneth Berrien, *General and Social Systems* (New Jersey:Rutgers Univ. Press, 1968,) p. 29.

㉖ 彭文賢，**系統研究法的組織理論之分析**（臺北：聯經，民國75年），頁167-168。

㉗ Gerald Nadler, *Work Design: A System Concept* (Homewond, Illinois: Richard D. Irwin, 1970), pp. 13-20.

㉘ Lawrence E. Murr & James B. Willams, "The Roles of Future Library", *Hi-Tech* 5:3 (Fall 1987), p. 11.

㉙ Edward Evans, *Management Techniques for Librarians* (New York:Academic Press, 1983), pp. 312-315.

㉚ 范承源，「高等教育與圖書館：美國大專圖書館重大問題的探討」，**美國研究**，第14卷 2 期（民國73年 6 月），頁101-106。

㉛ 廖又生，**圖書館組織與管理析論**（臺北：天一，民國78年），頁 5 。

〔參考書目〕

中文部份

王振鵠。**圖書館學論叢**。臺北：學生，民國73年。

沈寶環。**圖書・圖書館・圖書館學**。臺北：學生，民國75年。

———。**圖書館學與圖書館事業**。臺北：學生，民國77年。

何光國。**圖書資訊組織原理**。臺北：三民，民國79年。

吳堯峯。**現代管理淺釋**。臺中：瑞成，民國62年。

范承源。「高等教育與圖書館：美國大專圖書館重大問題的探討」。**美國研究**14卷2期（民國73年6月）頁85-109。

———。「美國大學圖書館藏的發展」。**美國月刊**4卷1期（民國78年5月）頁120-123。

———。「美國的成人教育」。**美國月刊**5卷6期（民國79年10月），頁 123-130。

周寧森。**圖書資訊學導論**。臺北：三民，民國80年。

胡述兆，吳祖善。**圖書館學導論**。臺北：漢美，民國78年。

胡歐蘭。**參考資訊服務**。臺北：學生，民國71年。

高錦雪。**圖書館哲學之研究**。臺北：書棚，民國74年。

———。「圖書館的理念界與現象界」。**中國圖書館學會會報**35期（民國72年12月），頁117-127。

———。「角色論、功能論、與圖書館學」。**中國圖書館學會會報**42期（民國77年6月），頁1-11。

張鼎鍾。**圖書館學與資訊科學之探討**。臺北：學生，民國71年。

─────。圖書館自動化導論。臺北：學生，民國76年。

黃世雄。「我國圖書館事業未來卅年展望」。教育資料與圖書館學20卷2期（民國71年12月），頁168-172。

─────。「淡江大學圖書館自動化之現況與展望」。國立中央圖書館館刊新15卷1、2期（民國71年12月），頁56-63。

─────。現代圖書館系統綜論。臺北：學生，民國74年。

曾仕強。中國管理哲學。臺北：東大，民國70年。

彭文賢。系統研究法的組織理論之分析。臺北：聯經，民國69年。

楊美華。「大學圖書館之館藏管理」。教育資料與圖書館學24卷4期（民國76年6月），頁390-409。

─────。「我國公共及大專圖書館的人事規劃研究」。中國圖書館學會會報40期（民國76年6月）頁27-52。

─────。大學圖書館之經營理念。臺北：學生，民國78年。

H. A Simon 著，雷飛龍譯。行政學。臺北：正中，民國54年。

盧荷生。「我國當前圖書館教育任務之探討」。圖書館事業合作與發展研討會會議紀要（民國69年12月），頁132-138。

─────。「研究圖書館史之旨趣」。慶祝藍乾章教授七秩榮慶論文集（民國73年12月），頁44-52。

繆全吉。行政改革研究專集。臺北：聯經，民國67年。

鍾振華。管理的藝術。臺北：巨流，民國63年。

藍乾章。圖書館行政。臺北：五南，民國71年。

Strable, E. G編，藍乾章譯。專門圖書館管理指南。臺北：學生，民國67年

英文部份

Axford, William. "The Interrelations of Structure, Governance, and Effective Resource Utilization In Academic Libraries." *Library Trends* 23 (April 1975):557-572.

Bertalanffy, Ludwig Von. "General System Theory: A New Approach to Unity of Science." *Human Biology* (Dec., 1951):302-361.

Buckland, M. K. "Concepts of Library Goodness." *Canadian Library Journal* 39 (April 1982):63-66.

Ducote, R. L. and Zimmerman. M. "Marketing the Community College Library." *Illinois Libraries* 65 (March 1983): 228-30.

Evans Edward, *Management Techniques for Librarians.* New York: Academic Press, 1983.

Fetterman. John. *Resource Sharing in Libraries:Why, How, When, Next Action Steps.* Ed. Allen Kent. New York: Marcel Dekker, 1974.

Kast, Fremont E. & Rosenzweig, James E. *Organization and Management: A System Approach.* N. Y.: McGraw Hill, 1974.

Lipsman, Claire K. *The Disadvantaged and Library Effectiveness.* Chicago:ALA, 1972.

Lancaster, F. W. *The Measurement and Evaluation of Library Services.*Washington, D. C.: Information Resources Press,

1977.

Murr, Lawrence E. & Williams, James. B., "The Role of Future Library", *Hi-Tech* 5:3 (Fall 1987):10-13.

Nadler, Gerald, *Work Design:A System Concept* Homewood, Illinois: Richard D. Irwin, 1970.

Parsons, Talcott. *Structure and Process in Modern Society* N.Y.: The Free Press, 1960.

Ranganathan, S. R. *The Five Laws of Library Science.* London: Edward Goldston, 1931.

——*Reference Service.* London:Asia Pub. House 1961.

Samuels. Alan R. and McClure Charles R. *Strategies for Library Administration:Concept and Approaches.* Littleton, Colo.:Libraries Unlimited, 1982.

Shera, Jesse H. *Introduction to Library Science* Littleton, Colo.: Libraries Unlimited, 1976.

Sill, David L. "General System Theory." in *International Encyclopedia of the Social Sciences* Vol. 15 N. Y.:MacMillan Co., 1968.

Stueart. Robert. *Academic Librarianship: Yesterday, Today, and Tomorrow.* N. Y.:Neal-Schuman Pub. Inc., 1982.

Williams, D. E. "Evaluation and the Process of Change in Academic Libraries." *Advances in Library Administration and Organization* 2 (London:JAI Press. 1983): 151-174.

第二篇

從「寡頭鐵律」
論圖書館館長的任用制度

從「寡頭鐵律」論圖書館館長的任用制度

一、引　言

「寡頭鐵律」（Iron Law of Oligarchy），此一概念最先由米契爾斯 (Robert Michels)提出，米氏爲瑞士人，主修政治社會學，他於一九二〇年代研究德國社會民主黨組織型態時，發現這個政黨組織是被一小撮寡頭所控制的。因此，他便在其鉅著「政黨論：當代民主的寡頭傾向」（Political Parties: A Sociological Study of the Oligarchical Tendency of Modern Democracy）一書裏做了如下結論：一切政黨都是寡頭式組織型態，在政黨生活中，寡頭是難免的，這是「政黨基本的社會學法則」；本於這種態度，米氏進一步觀察歐陸各種政治組織，發現各種政治社會活動，無論其組織在開始時如何民主化與大眾化，到後來也一定會被少數領袖分子所操縱。於是他擴大其研究的視野認定一切人類的組織都難倖免於寡頭的傾向。❶ 米氏這種破天荒式的發現乃是以政治性組織爲觀察對象，若採用這個定律來分析政治性色彩極濃的任用制度，自是一種值得去嘗試的研究途徑。

從本質上審究，圖書館管理工作它不但是科學與藝術的組合更是一門專業性的工作，在圖書館內部從館長到最基層館員，人

人腦海中均富有專業理念 (Professionalism)，因此，在理論上各類型圖書館館長都應該具備專業館員（Professional-Librarian）的資格。然我國圖書館事業因起步較晚，傳統特權階級壟斷圖書資料之藏書樓陰影猶存，加上今日我國公立圖書館被劃歸為社教機構之一環，成為典型的行政組織，人事進用升遷程序充滿泛政治化（Politicization）的味道，本文即引米契爾斯的寡頭鐵律以解析公立圖書館館長的任用問題，其根本目的是期望圖書館高級人力資源的選用可走向制度化 (Institutionalization) 的境地。

二、館長應具有專業權威

雖然米契爾斯認定少數人統治多數人是無法避免的，但他並不主張寡頭政治。他認為「寡頭」有日趨保守的自然傾向，縱令那些開始最富創新氣息的寡頭最後也會變成保守。他說：「今日的革命者即明日的反動者。」❷前已言之，圖書館的建制受公務員法制的規範（當然私人興辦的圖書館例外），館員的考選、任用及升遷都有一定的軌道，經過公務員考試任用（Appointment）的館員，遇有較高職出缺時，都能由在職的館員升任遞補。簡言之，公立圖書館館員定位於文官系統，其在文官永業化（career service）理念的薰陶下深受「內升制」（Recruitment from inside service)之保護，只要假以時日媳婦終能熬成婆而躍登主管職位。所以在我國現今的圖書館館員任用過程，似乎保護過於縝密，有違「廣收慎選」的原則，也由於拘泥於內升制，不易吸收新血輪，整個組織常陷於暮氣深沉的組織氣候

(Organizational Climate) 中，準此以觀，基層館員經過若干年歷練轉變爲主任或館長 ，倘若沒有一套完整的「 繼續教育（ Continuing Education ）」或「 在職訓練（ In-Service Training)」計劃加以配合 ，必然使整個館落入少數寡頭（館長與主任已養成保守的性格）壟斷的局面。此必難脫「寡頭鐵律」魔掌的控制。

反之，如圖書館主管職位有空缺時，採行對外公開徵募以補充，卽改行「外補制(Recruitment from outside service)」，這是否可擺脫保守的寡頭行政呢？學理上，外補制可吸收卓越人才到館服務，亦符合「適才適所」的原則，似可藉空降部隊式之幹才以大刀闊斧的方法進行改革。但在我國實務上卻不盡可行，因我國圖書館皆隸屬於各級社教機構，從屬性強、地位不高，館長易淪爲附庸角色。❸ 例如各類型公共圖書館館長之遴選皆出自教育部門機關長官，教育行政首長常將缺乏專業理念或平庸年高之士安插於圖書館，公立大學圖書館館長的任用資格只求具有副教授條件便可 ，館長地位遠不如各學院院長 ，中小學校圖書館館長 ，以非專業館員充任的情形更比比皆是 ，導致我國公立圖書館館長的任用雖採外補制，但卻與外補制的立意相去甚遠。就圖書館館長的任用言，我國以「外補制」居多，率皆由行政首長逕行予以任命，將上級單位人員安置於次級單位性質的圖書館，此乃圖書館組織地位過低之特性使然。在此先天不良、後天失調的不利情境下，圖書館館長的任用貿然沿用外補制其弊端尤甚於內升制，因在內升制下館員尚能以熟練的圖書館經驗從容應付圖書館問題，但我國公立圖書館館員最高的內升極限僅止於組主任或

分館主任的地位而已，十之八九的館長常自上級機構空降到各館
倘加上缺乏專業理念，除對基層館員的士氣與情緒痛加打擊外，
也會產生人事柄柄的陋規。

　　我國公立圖書館館長的任用泰半採用外補方式，原屬無可厚
非，然滲入酬庸主義（Favoritism）的色彩，使原本積弱不振
的圖書館越發走入保守和呆板的死角。流弊所及，內升制造成圖
書館「中階層」的寡頭統治，外補制形成圖書館「高階主管」的
保守傾向，因此今日我國圖書館便在「寡頭鐵律」的籠罩下以蹣
跚的腳步來進行改革。

　　從圖書館管理的立場言，館長綜理館務，責任重大，為整館
之靈魂所在，一個優良的圖書館館長之候選資格，應具備機智、
領導力、高深學識、態度可親、開明、對教育有熱切的興趣、
知書並愛書與健康等條件。❹一言以蔽之：館長應具備專業權
威，它是圖書館組織與管理的樞紐，唯有恰如其分的將其定位
（positioning），圖書館的發展才有前途。高錦雪教授提到：
「定而後能進。圖書館事業的進展，若為長遠計，不當止於技術
上的講究，卻須以定位立根。」❺這話意義深遠，值得吾人於界
定館長角色地位時所借鏡，如此一來，圖書館經營方可擺脫寡頭
鐵律的不良影響。

三、升遷三職位制的教誨

　　圖書館管理的成敗得失取決於人，現今我國公立圖書館館長
之升遷方法，無論採用內升制抑或外補制，似都無法逃避寡頭統
治的命運；社會學者韋伯（Max Weber）也以命定主義的口吻

指出愈保守的組織會越來越趨向於官僚化。❻圖書館如何祛除歷史包袱以撥雲見日，筆者認爲在高階主管的甄補上建立升遷功績制 (Promotion According to Merit) 不失爲一項可行的方法。蓋早在科學管理運動 (Scientific Management School) 時代，吉爾布玆 (F.B. Gilbreth & L.M. Gilbreth) 便主張「升遷三職位制 (Three Position Plan System)」，吉氏夫婦認爲：一個組織中每位成員皆被認爲具有三種不同的角色；一爲下級的地位，即未升遷前所任的原職。二爲現任的地位，即現時所擔任的職務。三爲上級的地位，即晉升後所將佔據的職位。❼換言之，每一成員對其原職的現任職員爲教師，對其現職爲工作員，對其將來職位的人員爲學生，故每一人員同時具有教師、工作員及學生三種角色。圖書館館長的任用即可以「三職位制度」爲基礎，除年資、考績以外，亦注意學識、品行與能力條件。換句話說，培養館長成爲同輩中的第一館員 (first among equals)，讓其能有較廣博的訓練，以便堪任圖書館經營的繁瑣業務。具體言之，圖書館高階主管的晉用，採內升制與外補制旣然各有偏差；前者以年資爲升遷依據 (promotion according to seniority)，易導致館員不求有功但求無過的心理，後者照目前空降式的做法則又難消除外來政治的影響，當權者也會憑個人的好惡以爲升遷。爲今之計，惟有將利弊互見的兩制予以捨短取長、汰蕪存菁，以折衷制的方式來從事圖書館的人事行政改革，其方法如下：❽

㈠　限定界限法

將館員等級分爲高、中、低三等，任職考試亦分高、中、低

三等。中等考試及格者自中等任起（外補制），但可升至高等的中間級（內補制），依此類推。

㈡ 規定比例法

即館長職位出缺時，可以規定其由內升者與外補者各占一定的比例。組主任亦能比照辦理。

㈢ 升等考試法

館員任職已歷練升至某一職位之最高級後，服務成績優良，得參加升等考試，經考試及格者准予以高一等職位晉任之。

綜觀折衷制的三個方法，它的基本精神是欲以客觀具體的標準來拔擢人才，這亦符合公務員考試採行「功績制(Merit System)」的理念；但圖書館事業是一門專業，館長領導行為的基礎需是獎賞權(Reward power)、強制權(Coercive power)、合法權 (Legitimate power)、參照權 (Referent power) 、專家權 (Expert power) 、聯結權 (Connection power) 與資訊權 (Information power) 等七種權力的集合體。❾故實行折衷制依然離不開升遷三職位制的專家與通才(specialist vs. generalist) 經驗兩相並重的理想，畢竟，優秀稱職的圖書館館長應該是一位敬業樂羣，縱橫書海的專業館員。

然放眼我國公立圖書館館長的升遷，無論內部晉升（Promotion)與外部調轉（Transfer），似乎皆遭受寡頭政治文化的干擾；貫徹升遷三職位精神，採用折衷方法，雖可一掃純內部晉升的保守氣息，但尚不足以廓清外部調轉所造成的第二種寡頭政治的干擾，正本清源之道，我國圖書館人事管理專家林文睿建議圖書館用人應由考試機關辦理特考，❿此不失為一勞永逸之

策，惟有圖書館專業館員的考選樹立成一嚴謹的系統，圖書館人事的任用才有邊界防守(Boundary Defense)的機能，所謂調轉任職的酬庸式館長，在職級、職系層層關卡的限制下，自然可消弭於無形了。圖書館員之專業角色一如法官、律師，考政機關對圖書館人員特考實應早日預爲綢繆，妥加規劃，以求切合實際。

四、民主鐵律時代的來臨

寡頭鐵律所指的寡頭政治必是階級的統治，而該階級之構成因不同的社會條件而有不同的型態。實則，自來組織經營，鮮少有一人之治者，亦無多數之治者，而實均係少數之治。唯此少數人取得控制權後，常不斷擴大其權力以維繫其地位，而置民主參與於腦後。假如圖書館經營落入少數寡頭宰制的局面，那麼圖書館組織勢必因充滿保守、憚於改革而日益腐敗。「絕對的權力必然絕對的腐敗」，旨哉斯言。

所幸隨自由主義、個人主義思想的啓迪，民主政治的思潮澎湃，促使傳統寡頭政治中同質的少數，不止發生量變，亦且產生質變，今日寡頭政治已逐漸轉衍爲多元性民主（Polyarchy）。社會結構之嬗變，導致發展中社會的組織成員受「期望日增的革命（Revolution of Rising Expectations）」和西方現代化開放組織體系的「示範效果（Demonstration effect）」兩種因素的影響，渴望組織變革的心益加迫切，他們企圖透過各種管道以表示個人的心聲。無怪乎社會學者、政治學者稱二十世紀的多元化社會（plural society）是一個「參與爆炸（Participation Explosion）」的時代。

　　圖書館是人類智慧的總滙，館長更是經營館務的舵手，在人類社會思潮走向開放民主的新時代，自然不應坐視圖書館開歷史的倒車；二十世紀初期，爲增加組織的效能，必須採行獨裁專斷式的領導(Autocratic Leadership)，自然可容忍「寡頭鐵律」的說詞。而二十世紀末葉後工業時代 (Post-Industrial Society) 的到臨，圖書館組織面對「人口爆炸(population explosion)」、「資訊爆炸（information explosion）」及「參與爆炸」的壓力，實應改弦更張，以彈性動態的經營策略來幫助圖書館之組織發展。誠如寇德納（Alvin Gouldner）所言，少數統治的權力領袖，如欲鞏固其統治地位，必不能長久忽略被治者之利益，而須適應被治者之意志。此卽寇氏的「民主鐵律 (Iron Laws of Democracy)」。組織是人類思潮激盪下的產物，圖書館處於資訊社會中，宜以 「民主鐵律」 的新觀念來處理其管理問題。諺云：「他山之石，可以攻錯」，吾人於雀躍歡慶民主鐵律時代來臨之同時，更殷望我國圖書館館長的升遷制度能導向民主化、合理化的途徑。

五、私立圖書館的經驗模式

　　私立圖書館不受法規程序的約制，圖書館館長獨立自主及自由裁量權 (discretion　power) 較大，因此，行政權過份集中，採取嚴密監督 (Close Supervision) 方式、行政沉澱成本 (Sunk　Cost) 的負擔等現象較不易發生，卽私立圖書館運作中，寡頭鐵律的羈絆少，其往往將圖書館定位成一服務性組織 (Service　Organization) ，有其清晰的中長程發展目標，館

員的角色結構嚴謹而明確，館長為提昇經營效率與效能，除具備圖書館學專業知識外，亦富有管理科學 (Management Science) 的經營理念，館長的領導風格 (Leadership Style) 也傾向於館員導向 (People-oriented) 方式，使個人的利益、圖書館的目標與社會羣衆的需求三者可滙為一體。在這樣的圖書館型態下，圖書館才能真正變成一個有生命的有機體 (a living organism)。例如美國鋼鐵業鉅子卡內基 (Andrew Carnegie) 贈款興建一千六百八十一所私立圖書館，亞斯特 (John Jacob Astor) 以遺囑捐款四十萬元以建立紐約公共圖書館等，⓫ 其氣象萬千、服務品質之高，堪稱為同業中之翹楚。此外，為適應工商企業的蓬勃發展及學術科技日新月異的研究創新，美國專門圖書館(Special Library)、資訊服務中心(Information Service Center)等亦如雨後春筍般的創立，它們都以企業化經營 (Business Administration) 的策略來進行圖書館的組織與管理，其工作量及服務品質皆為讀者所讚歎。可見西方國家私人經營的圖書館其成功的管理模式，實足作為我國圖書館事業發展的一面明鏡，蓋任何組織結構，其行政的推動，端賴一套健全的人事政策，人員的編制固然重要，知人善任尤為重要，西方社會的私立圖書館館長的遴選，係屬成就取向 (Achievement Oriented) 之甄補制，圖書館創辦人或基金會的執行總裁注重館長角色的功能地位 (Functional Status)，引用管理科學的各種方法，圖書館富有朝氣且常和社區民衆打成一片。

　　從這種經驗模式裏不難觀察出，圖書館組織如偏向固定、嚴密、制式化的「機械的官僚系統 (Bureaucratic Mechanistic

Systems)」，則愈難脫離寡頭政治的窠臼。反觀，現代化的圖書館組織是朝動態的、彈性化的結構方式邁進，即趨向於「有機的結構系統 (Adaptive organic Systems)」⑫圖書館學健將阮甘納桑 (S. R. Ranganathan) 在圖書館五律 (The Five Laws of Library Science) 之末便提出：「圖書館是一個成長的有機體 (A Library is a Growing Organism)。」正是這層道理。吾人於構定圖書館館長任用制度時，有關圖書館組織設計的哲學面也須一併予以考慮。

六、結　語

凡事無善始則難以有善終；我國圖書館事業正值起步之際，在高階人力規劃方面，應朝向圖書館發展的目標，妥善分配權力與責任，使人與事作最佳的安排與組合。這樣才能使圖書館人事管理達到「人盡其才」、「事竟其功」的目的。諺云：「中興以人才為本」。吾人殷望我國未來的圖書館館長之晉用可符合為事擇人、專業專才的崇高理念。

〔附　　註〕

❶ Robert Michels, *Political Parities: A Sociological Study of Oligarchy Tendency of Modern Democracy* (Glencoe, Illinois: The Free Press, 1959).

❷ Ibid.

❸ 廖又生，圖書館組織與管理析論（臺北：天一，民國78年），頁22。

❹ 藍乾章，圖書館行政（臺北：三民，民國71年），頁26-29。

❺ 高錦雪，角色定位與圖書館發展（臺北：書棚，民國78年），頁5。

❻ Max Weber, *Economy & Society* (Berkeley, Ca.: University of Calif. Press, 1968), p. 328.

❼ Danniel A. Wren, *The Evolution of Management Thought* (N.Y.: John Wiley & Sons, 1978), pp. 152-160.

❽ 張潤書，行政學（臺北：三民，民國75年），頁543。

❾ 陳德禹，行政學論集（臺南：德華，民國65年），頁84-106。

❿ 林文睿，臺灣地區公私立大學圖書館人事管理制度之比較研究（臺北：臺大圖書館學研究所，民國78年），頁137。

⓫ Alan R. Samuels & Charles R. McClure, *Strategies for Library Administration: Concepts and Approach* (Littleton, Colo.: Libraries Unlimited, 1982), pp. 21-36.

⓬ F. E. Kast and J. E. Rosenzweig, *Organization and Management* (N. Y.: McGraw Hill Co., 1974), p. 241.

〔參考書目〕

中文部份

沈寶環。**圖書館學與圖書館事業**。臺北：學生，民國77年。

何光國。「圖書館事業的檢討與展望」。**圖書館學刊** 13 期（民國 73 年 12月），頁35-40。

范承源。「當前人員編制緊縮對於公共圖書館的影響」。**臺北市立圖書館館訊** 4 卷 4 期（民國76年 6 月），頁8-11。

張鼎鍾。**圖書館與資訊**。新竹：楓城，民國68年。

楊美華。「我國公共及大專圖書館的人事規劃研究」。**中國圖書館學會會報**40期（民國76年 6 月），頁27-52。

Saracevic, Tefko 著，楊美華譯。「資訊時代中的圖書館教育」。**圖書館學與資訊科學** 8 卷 2 期（民國71年10月），頁221-228。

鄭雪玫。「從文化中心談圖書館」。**書府** 4 期（民國 72 年 5 月），頁9-11。

鄭吉男。「論圖書館行政發展趨勢——兼談當前 我國圖書館 行政工作重點」。**臺北市立圖書館館訊** 3 卷 1 期（民國74年 9 月），頁22-31。

盧荷生。「討論圖書館組織編制該思考的問題」。**臺北市立圖書館館訊** 4卷 4 期（民國76年 6 月），頁3-7。

繆全吉等。**人事行政**。臺北：空大，民國79年。

蘇伯顯。**企劃與管理**。臺北：中華出版社，民國72年。

英文部份

Burns, Robert W. "A Generalized Methodology for Library System Analysis". *College and Research Libraries* 32 (July 1971): 300-301.

Chen, Ching-Chih, "Golden Opportunities in the 80's for Information Professionals." 圖書館學與資訊科學 8 卷 1 期（民國 71年 4 月）: 1-19。

Drucker, Peter F. *The Age of Discontinuity: Guidelines to our changing society.* New York: Harper and Row, 1979.

Evans, Edward, *Management Techniques for Librarians.* New York: Academic Press, 1976.

Fesler, James, W., *Public Administration: Theory and Practice.* Englewood Cliffs, N. J.: Prentice-Hall, 1980.

Hersey, Paul and Blanchard, Kenneth H. *Management of Organizational Behavior: Utilizing Human Resources.* Englewood Cliffs, N. J.: Prentice-Hall, 1977.

Joeckel, C. B. ed. *Current issues in Library Administration.* Chicago: Univ. of Chicago Press, 1939.

Kimber, R. T. *Automation in Libraries.* Oxford: Pergaman Press, 1974.

Lowe, John Adams. *Public Library Administration.* Chicago: ALA, 1928.

Metcalf, Keyes D. *Studies in Library Administrative Problems.* N. J.: Rutgers Univ. Graduate School of Library Science,

1960.

Nigro, Flex A., *Public Personnel Administration,* New York: McGraw Hill, 1965.

Pungitore, Verna L. *Public Librarianship.* New York: Greenwood Press, 1989.

Stueart, Robert D. and Eastlick, John T. *Library Management,* Littleton, Colorado: Libraries Unlimited 1981.

Toffler, Alvin, *Future Shock,* New York: Bontam Book, 1971.

Zaltman, G. et al., *Innovations and Organizations.* New York: John Wiley and Sons. 1973.

Zweizig, Douglas and Rodger, Eleanor. Jo. *Output Measures for Public Libraries: A Manual of Standardized Procedures* Chicago: ALA, 1982.

Zweizig, Douglas L. "Any Number Can Play: The First National Report of Output Measures Data," *Public Libraries* 24:2 (Summer 1985): 50-53.

第三篇

「彼德原理」及「逐漸趨於保守定律」
對圖書館人力訓練的啓示

「彼德原理」及「逐漸趨於保守定律」
對圖書館人力訓練的啓示

一、前　言

　　遠在圖書館學校尚未建置以前，爲了使管理圖書資料變成一門專業，早已經有訓練課程的設計及 人員鑑定考試的辦法❶，晚近正式圖書館敎育問世後，由於社會的變革、技術與知識的發展，促使圖書館學界仍舊十分重視圖書館內部的人力資源管理 (Human Resources Management) 及館員培訓計畫，因之有關館員「繼續敎育 (Continuing Education)」、「人力發展（Staff　Development）」或者「在職訓練（In-Service Training)」爲主題的文章與論著，常絡繹不絕的見諸於各種不同的出版品，它們從許多專業的角度來探討圖書館人力訓練的意義、宗旨、進行方式及內容編排等❷，吾人幾乎可說：今日的圖書館人力訓練問題早已成爲圖書館管理研究的核心焦點。

　　然而圖書館內部人力爲何需要適時予以訓練？假使不施加訓練會產生什麼反功能？訓練與人員本質特性又有何關連？這一系列的問題似乎鮮見圖書館學者加以探討，故本文嘗試引管理學上兩個極爲著名的重要定律：卽「彼德原理(Peter's Principle)」；另稱「彼德定律（Peter's　Law）」和「逐漸趨於保守定律 (Law of　Increasing　Conservatism)」，用以印證圖書館人

員訓練的必要性及迫切性，希望經由這兩項定律的檢視、辨證與省思，能刺激圖書館在這個不接續的時代（The Age of Discontinuity）裏可眞切掌握自己的研究發展方向。

二、彼德原理的警告

彼德原理一詞最早由彼得及霍爾（Lawrence J. Peter & Raymond Hall）提出❸。它是用來諷刺組織內經常發生的人事病態❹。彼德定律指出：在正式組織中大多數的人都想追求晉升職位，一直升到他無法勝任的地步爲止，因此人們往往忘了追求自己可堪任的職位。換言之，在內升制（Recruitment from inside Service）的保障下，一個人在正式組織結構中升遷，常有一定的極限，該極限就是此人無能之處（Defficiency Level）。準此；在圖書館裏恒久不變的現職主管，通常是無能的主管，因爲他們若是有能耐，則必定會再步步高升❺。詳細推究彼德原理內涵，可看出圖書館高階主管若不經常檢討館員學養、改進部屬工作能力，則整個圖書館可能到處充滿著無能的人，而那些鶴立鷄羣的人才可能流動到他館或向上榮升。反之；長年留置於館的人則會被無能的主管所壓制，經年累月、漫漫歲月的洗禮也會變成尸位素餐、毫無生氣的無能人員。

揆諸今日資訊中心（Information Center）或圖書館如雨後春筍般的成立，圖書館員如何發展抱負，同時確立自己的學習需求，進而建立個人目標，這是圖書館界從業人員須深思熟慮的基本課題❻，依據人事心理學家耶律克夫（B. Eelikoff）於一九七〇年所提出的「知能退化曲線（Erosion Curve）」顯示：

圖書館員在初任時若是具備百分之百的專業智能，這些智能如果不隨時補充，則隨時間的推移會呈直線下降的傾向。其情形如圖3-1：

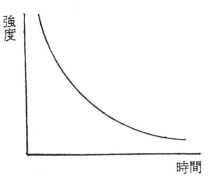

圖 3-1：知能退化曲線

從知能退化曲線可看出，這種現象對圖書館運作的負面影響極大，因為在圖書館業務紛繁、嶄新技術層出不窮及知識不斷遞增的後工業社會，倘若館員知能逐漸衰退而尚未能適時給予補充，則圖書館便會霎時出現營運失靈的危機。

前面彼德定律在喚醒圖書館員們要有不斷充實智能及創新突破的決心，與彼德定律近似的「威廉定律（William's Law）」也證實著館員訓練的必要性；威氏亦從升遷的觀點來解析：適合於A職位的人並不必然適合於更高職位B的需要。理由是A職位者具有A職位的智能，更高職位者則更須更深一層的智能。其情形如圖3-2。

假定有A人在A職位表現良好，頗獲佳評，如將其拔擢至B職位便臨壯志難伸、半籌莫展的窘境，其間最根本的分野乃取決於所需智能的不同。

威廉定律與彼德原理如出一轍，兩者有異曲同工之妙，所以

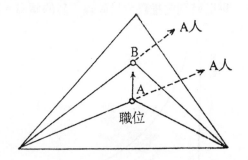

圖 3-2：威廉定律之內涵

往往在論述正式組織之人員升遷或訓練時常被一併提及。天下圖
書館從業人士們，當您目覩彼德原理的警告後，爲增加自己的升
遷機會，惟有付諸於繼續教育以維持並發展自己的能力，以便於
在專業領域中扮演新的角色❼。

三、逐漸趨於保守定律的殷鑑

逐漸趨於保守定律，這一法則由名行政管理學家安東尼·唐
斯（Anthony Downs）於一九六七年在其代表著「官僚體制的
內部（Inside Bureaucracy）」一書中提及。唐氏名言：「所
有的組織，成立愈久，就愈趨於保守，而經歷快速成長時期（如
機關的擴張），或經歷機關內部的改革（如機關的重組）者爲例
外。」❽此即逐漸趨於保守定律的內容摘要，唐斯尚進一步依組
織內部人員的永業取向（Career Orientation）將官僚體系內
人員分爲五類：

㈠ 攀登者（Climbers）

㈡　保守者 (Conservers)

㈢　狂熱者 (Zealots)

㈣　倡導者 (Advocates)

㈤　政治家 (Statesmen)

　　其中攀登者醉心於權力、金錢與地位的鑽營，傾力地冀望逐步竄升或增加額外物質上的利益。保守者則一心一意想保住現有的職位，他抵制任何變遷 (Resistance to change)。狂熱者常執著於公益目標的達成，不過往往只見樹而不見林，即展現本位主義化。倡導者認同於組織，對組織的忠誠度高，亦熱心於組織整體目標的獲取。政治家則是先天下之憂而憂、後天下之樂而樂的卓越經營者。這五種不同的角色賦予組織迴異的生命內涵，大體而言；一個組織在設立初期，其內部人員大部份為倡導者和狂熱者❾，其後才漸漸走向保守的傾向，所謂今日的改革派即明日的守舊派，便是這一層道理。

　　眾所皆知，我國圖書館的種類中，除了極少數的專門圖書館或資訊服務中心外，率皆呈現出從上到下一條鞭式的官僚體制 (Bureaucracy)，加以我國有五千年淵遠流長的歷史，圖書館長期以來在藏書的樓、觀、閣等偏狹保守觀念的作祟下，比起其他行政機關尤為老化與深沈。執此，逐漸趨於保守定律自能貼切地用以觀察圖書館組織的人事管理漏洞。

　　用唐斯的官僚體制內部五種人員，來觀察我國現今的圖書館人力配置，具有政治家 (Statesmen) 風骨者可說是鳳毛麟角，一般工商企業設立的專門圖書館，其資訊服務人員充其量只不過扮演著敬業樂羣的狂熱者與倡導者 (Zealots & Advocates)

罷了，而剩下的大多數圖書館（無論是公共圖書館、學術圖書館
或國家圖書館），於組織編制的局限下，儼然形成一套刻板僵化
的命令指揮系統（Chain of Command），人們處於層級節制
（Hierarchy）的正式結構（Formal Structure）中，養成了
公事公辦、重視繁文縟節的官僚人格（Bureaucratic persona-
lity），影響所及；使原本立意甚佳的良法美制成為圖書館人員
執行業務的護身符，換句話說，制度變成了保護壞人而卻拘束
了好人的劊子手。這種推諉塞責、因循苟且的組織風氣（Orga-
nizational Atmosphere）一旦養成，早先圖書館構定的宗旨或
目標必然隱沒不彰，取而代之的便是藉著法令規章以行專擅濫權
的枉法勾當。殊不知法規只是圖書館治事的工具而已，其滿足社
區人士資訊的、文化的、教育的及休閒的功能才是圖書館設立的
初衷，今日在官僚體制這個極端封閉的系統（Closed System）
籠罩下，圖書館人員每每有重手段輕目的、甚至手段與目的倒置
的從業態度出現，無怪乎圖書館人事升遷屢見「遊說」、「關說」、
「走後門」等桌面下行為（below-table activity），而館務運
作則頻見「科員政治」、「公文旅行」、「踢皮球」及「大印制
度」等惡性循環的病象，要知圖書館管理上手段與目的具有連鎖
的關係（Means-End Chain），假定浮現組織目標轉換（Dis-
placement of Organizational Goal）的弊端，那麼它原有
的崇高目標必定蕩然無存，圖書館焉能建立良好的新現象。目前
這種組織目標被替代的現象，以歷史較悠久的公共圖書館或學校
圖書館為最，非專業館員充斥、服務品質低落、抱殘守缺故步自
封的從業態度清晰可見。組織文化（Organizational Culture）

是組織內成員價值信仰及行為模式日積月累的產物，圖書館組織一如他類組織，亦有組織生命循環（Organizational Life Cycle）浪潮，如何從誕生、成長、成熟走向衰退的途程中，再度締造起死回生的第二春，這正考驗著每一個邁向老化的圖書館。綜觀上面所言，唐斯逐漸趨於保守定律乃提醒我們：組織成立愈久，人員的觀念就愈趨於保守，組織內的成員攀登者(Climbers)及保守者（Conservers）也就日漸增多。面對圖書館林立，圖書館事業蜩螗之秋，我國現今多數圖書館即具有這種陳疴，如何一掃目前的陰霾以中興圖書館事業，其關鍵在於妥善處理人的問題 (Human Factors)；嘗言：「哲學為體，科學為用」，只要圖書館內人的觀念能改變，倡導者與政治家的比例可呈幾何級數的增加，必定終有一日可取代攀登者及保守者獨大的局面。而圖書館組織發展（Organizational Development，簡稱ＯＤ）正是治療我國圖書館宿疾的良方；經由有計畫的變遷（planned change），採行一套複雜可行的教育策略，正確有效的對圖書館同仁施以訓練，這才是圖書館突破傳統羈絆邁向現代化的不二法門。果真圖書館人的觀念可躋於現代化，那其他的自動化、電腦化等器物層次的問題，也就自然迎刃而解了。

四、結　語

我國圖書館學大師沈寶環先生曾云：「圖書館學本來是一個不斷變動的科學（A discipline of change)」[10]。靜止不動（Static）、暮氣沉沉、得過且過是圖書館的第一號敵人，一成不變、墨守成規、維持現狀是圖書館的第二號公敵[11]，我國圖書

館面臨文化失調的兩難時代，應一本「窮則變，變則通」的信念，記取「彼德原理」和「逐漸趨於保守定律」的教訓，以守經達權、劍及履及的積極行動，強調人力規劃與訓練 (Manpower Planning & Training)，使有幸參加圖書館工作行列者，焦心合謀，戮力以赴，再度締造圖書館事業新猷。

〔附 註〕

❶ N. J. Russell, "Professional & non-professional in libraries: the need for a new relationship," *Journal of Librarianship* 17(1985), p. 294.

❷ E. W. Stone, "The Growth of Continuing Education," *Library Trends* 34 (1986), pp. 489-513.

❸ Lawrence J. Peter & R. Hall, *The Peter Principle* (N. Y.: Morrow, 1970).

❹ 嚴愈政譯，**彼德原理** (臺北：人人，民國62年) ，頁9。

❺ T. H. Ballard, "Delegating away the Peter Principle: good librarians can remain so, even when they become directors," *American Libraries,* 14(1983), pp. 734-736.

❻ B. Conroy, *Library Staff Development & Continuing Education: principle & practice* (Littleton, Colo.: Libraries Unlimited, 1978), p. 13.

❼ P. P. Penland, "Community information management certificate," *Public Libraries* 24 (1985), p. 165.

❽ Anthony Downs, *Inside Bureaucracy* (Boston: Little Brow & Co., 1967), pp. 8-20.

❾ Ibid.

❿ 沈寶環。**圖書館學與圖書館事業** (臺北：學生，民國77年)，頁145。

⓫ Ibid.

〔參考書目〕

中文部份

范承源。「美國大學圖書館如何推展其敎育的功能」。**美國硏究**15卷 2 期
　　（民國74年 9 月），頁99-100。

徐木蘭。**飛越競爭**。臺北：天下，民國79年。

張鼎鍾。**圖書館學與資訊科學之探討**。臺北：學生，民國71年。

楊美華。**大學圖書館之經營理念**。臺北：學生，民國78年。

盧荷生。**圖書館行政**。臺北：文史哲，民國75年。

繆全吉。**行政改革研究專集**。臺北：聯經，民國67年。

———。**人事行政**。臺北：空大，民國79年。

———。**理性的政治共識**。臺北：黎明，民國73年。

英文部份

Baird, L. S. et al., eds. *The Training and Development Source-book* Amherst., Mass.: Human Resource Development Press, 1983.

Chaplan, Margart A., ed. "Employee Organization and Collective Bargaining in Libraries." *Library Trends* 25 (October 1976):22-33.

Craig, Robert, ed. *Training and Development Handbook.* 2nd ed., New York: McGraw-Hill, 1976.

Dalby, Michael T., & Michael S. Waterman, eds. *Bureaucracy in Historical Perspective.* Glenview, Ill.: Scott, Foresman, 1971.

Donovan, J. J., ed. *Recruitment and Selection in the Public Service.* Chicago: International Personnel Management Association, 1968.

Downs, Anthony. *Inside Bureaucracy,* Boston:Little Brow & Co., 1967.

Edwards, John, et al. *Manpower Planning:Strategy and Techniques in an Organizational Context,* Chichester: Wiley, 1983.

Evans, G., *Management techniques for librarians,* 2nd ed., New York:Academic Press, 1983.

Fiske, Edward B. "Booming Corporate Education Efforts Rival College Programs, Study Says," *New York Times,* January 28, 1985, P. A10.

French, Wendall. *The Personnel Management Process.* 3rd ed., Boston: Houghton Mifflin Company, 1974.

Gawthrop, Louis. *Bureaucratic Behavior in the Executive Branch.* New York:Free Press, 1969.

Guyton, Theodore Lewis, *Unionization:The Viewpoint of Librarians.* Chicago:ALA, 1975.

Hamburg, Morris, et al. *Library Planning and Decision-Making Systems.* Cambridge, Mass.:MIT Press, 1974

Herbert, Clara, W. *Personnel Administration in public Libraries.* Chicago:ALA, 1939.

Hereman, Herbert, and Donald Schwab. *Perspectives on Personnel Human Resource Management.* Homewood, Ill,:Irwin-

Dorsey, 1978.

Katz, Marsha. Lavan Helen and Malloy Maura, "Comparable worth: Analysis of Cases and Implications for Human Resource Management," *Compensation and Benefits Review* (May-June 1986):26-38.

Lancaster, F. W. *The Measurement and Evaluation of Library Services.* Washington, D. C.: Information Resources Press, 1977.

Lee Jr., Robert D. *Public Personnel System.* Baltimore: University Park Press, 1979.

Marchant, Maurice P. *Participative Management in Academic Libraries.* West Port, Conn.: Greenwood Press, 1976.

McCabe, Gerard B., Kreissman, Bernard; and Jackson, W. Carl., eds. *Advances in Library Administration and Organization* 7 vols. Greenwich., Conn.: JAI Press, 1982-88.

Miller, Edwin L. Burack Elmer H, and Albrecht Maryann H., *Management of Human Resources.* Englewood Cliffs, N. J.: Prentice Hall, 1980.

Morita, Akio. *Made in Japan.* New York: E. P. Dutton, 1986.

Nelton, Sharon. "Meet Your New Work Force" *Nation's Business* 76, no. 7 (1988):14-21.

Nyren, Karl, ed. *Buying New Technology.* LJ Special Report no. 4. New York: R. R. Bowker, 1978.

Patten Jr., Thomas H. *Manpower Planning and the Development of Human Resources.* New York: Wiley & Son, 1971.

Peter G. *The Politics of Bureaucracy.* 2nd ed., New York:

Longman, 1984.

Peter, Laurence J. and Hull. Raymond. *The Peter Principle.* New York: William Morrow. 1969.

Pigors, Paul and Myers, Charles A. *Personnel Administration.* New York:McGraw-Hill, 1977.

Poole, Herbert, ed. *Academic Libraries by the Year 2000:Essays Honoring Jerrold Orne.* N. Y.: R. R. Bowker, 1977.

Ricking, Myrl, and Booth, Robert E. *Personnel Utilization in Public Libraries.* Chicago: ALA, 1974.

Robbins, Jane, *Citizen Participation and Public Library Policy.* Metuchen, N. J.: Scarecrow Press, 1975.

Shera, Jesse H. *The Foundations of Education for Librarianship.* New York:Becker and Hays, 1972.

Wasserman, Paul. *The New Librarianship: A challenge for Change.* New York: R. R. Bowker, 1972.

第四篇

從「工資鐵律」
論圖書館員的薪資政策

從「工資鐵律」論圖書館員的薪資政策

一、引　言

「工資鐵律」（Iron Law of Wages），此一概念最早於一八一七年由古典學派經濟學家李嘉圖（David Ricardo）所倡，認爲薪資若超過勞動者的基本生活費則勞動者可以養活較多的子女，結果勞動者人數增加，供給超過需求，勞動的市場價格降低，自然勞動者的生活艱困；反之勞動者人數減少，其市場價格上升，勞動者的薪資亦隨之上升，甚至超過於生活費，李氏遂認爲既無法維持高薪資水準，不如轉而求取最基本的薪資以維家計，❶因之，李氏提出的工資鐵律又被稱爲「黃銅定律（Brazen Law of Wages）」或「生計定律（Subsistence Law of Wages）」，用以指稱薪資乃是維持生計的最根本需求（Basic Needs）。

從組織特性觀察，基本上圖書館爲一般服務性組織(Service Organization)，權力色彩淡薄，館員慣以愛書人自居，無論任何類型的圖書館率皆以滿足讀者的資訊需求爲導向，但依調查資料顯示，默默耕耘，勞苦功高的基層館員們社會地位低，薪資所得少，卽與護士、空中小姐相較亦瞠乎其後，造成人才流失的弊端，❷長此以往，將會阻礙圖書館事業的正常發展。先哲有

言:「制而用之存乎法,推而行之存乎人。」現值圖書館法制漸趨完備之際,尤須仰賴優秀館員來推行;秉此,筆者欲引李嘉圖的工資鐵律以評析現今我國圖書館館員的薪資制度,俾供未來館員薪資結構調整時之參考,進而促使圖書館員能安其位,稱其職、展其才、伸其志,終身奉獻於圖書館事業。

二、圖書館薪資管理制度之檢討

薪資者,乃機關對於員工服務之報酬,以充足員工們相當地位之生活費用為主旨,從工資鐵律言,藉薪資期能俸以養廉,無後顧之憂;但現今我國圖書館組織的人事任用制度呈現多軌制,有採「考試制」者,亦有用「遴用制」者,在多制並行下,職稱也相當冗繁,玆將圖書館常見的職稱簡要整理如下:

㈠館長、組主任、股長(法制上已廢止)、組員。

㈡編纂、編審、編輯、助理編輯。

㈢研究員、副研究員、助理研究員、研究助理。

㈣幹事、助理幹事、書記、雇員。

㈤額外人員、其他約僱人員等。

這樣的職稱體系固然方便於圖書館館員的延攬,惟其脈絡不一、品類流雜、功能交錯,常會引發人力資源管理過程上之分歧,混亂與不平。就各類型圖書館的館員任用制度而言,又以考試取才的功績制 (Merit System) 為主,且我國各公立大學、專科、高中、國中,小學圖書館館員及各縣、市、鄉鎮圖書館館員,一概被視為公務人員,均須以考試及格資格條件做為任用的前題,此種貫徹憲法公開選拔文官的精神(見我國憲法第八十五

條），用意誠無可厚非，問題在以圖書館員任用制度檢視圖書館薪資政策時，往往發現館員（公務員）任職達一定期限後，囿於升遷管道的狹窄，職等薪級的極限，致使資深館員的薪資所得無法與其他年資相當的公務員匹比；準此，圖書館同業在職稱類目混亂、職等編列從嚴及員額編制緊縮等多層壓力下，事務繁、責任重、地位卑，收入微，館員之俸給不足以成為積極努力工作的誘因（Incentives），是構成圖書館內部士氣低落的主要原因。根據薪資管理的基本原則──「同工同酬(Equal pay for Equal work）」，任何工作的設計務必力求「全工全酬（Full job, Full time, Full pay）這方符合管理學上「權力與責任對等，工作與人員對等，事業與經費對等」的原則。

　　圖書館館員之選用除上面所揭示的「考試制」會帶來若干困擾外，如用「遴用制」也同樣會為圖書館製造一些棘手的問題，遴用原意在於羅致一定學歷或經歷資格者入館服務，旨在彌補考選制的不足，增進圖書館館員甄選及任用的方便，然我國圖書館事業由於受政府行政體系的影響，未脫離被動附庸的地位，館長用人權彈性相當大❸，假使不能運用得宜，使賢者在位，能者在職，那麼整個圖書館的經營績效自然會顯現每況愈下的劣勢，換言之，遴用制如與黨派或私人裙帶關係滙流則將形成人事任用上的「恩惠制（Patronage）」或「瞻徇制（Favoritism)」，君不見各級公共圖書館非專業館員（Non Professional Libra-rian）充斥，導致圖書館人力運用「善善不能留，惡惡不能去」的人事瓶頸，其流弊遠不遜於考試制。尤有甚者，聘用人員薪俸通常高於考試及格人員，因其薪資高於生計費用，致形成工作者

數量遽增，館員任用作業過程私相授受、招權納賄等桌面下的活動(Below-Table Activity)頻仍；反之，考試及格到任館員，在薪資低於工資鐵律的均衡水準下，將使這羣合格館員放棄終身職業（Career Service）的崇高理想，轉而見異思遷，人人皆存五日京兆之心。

宋代大政治家司馬光有云：「爲政之要莫若得人，百官稱職，萬物咸治。」縱觀我國圖書館薪資管理制度，在目前館員進用無法擺脫雙軌制下，考試制所晉用的館員，適用公務人員任用法、公務人員俸給法、公務人員考績法等人事法規，但在圖書館現有結構尚未經合理調整以前，各類型圖書館被定位在機關行政首長底下的三級單位，館員職等低、升遷慢，不易吸收卓越人才；另遴用制所聘任之館員，可依敎育人員任用條例及聘用人員聘用條例辦理，然由於圖書館地位不高，館長（尤其公共圖書館）多出現酬庸性的人物來擔任，導致聘用無法帶來「專才專用」、「適材適所」的預期效果。在考試制與遴用制兩種人事任用管道皆有偏失的情況下，除公立大學圖書館和私立且規模較大的專門圖書館外，其餘的圖書館都是在人事任用制度不當、薪資管理辦法失衡下運作，如此豈能重塑圖書館之新形象？本文引證的工資鐵律，即在要求員工薪俸與工作者所須維持的生活水準可相互平衡（Equilibrium），這樣方可促進組織的穩定與發展；故檢討我國圖書館薪資管理問題後，不難可看出目前我國圖書館事業發展的成敗取決於「人」，惟有做好圖書館的人力資源管理工作，使館員的引進、運用、發展、激勵及維持等過程都能做得盡善盡美，才能讓館裏員工摒棄內心的壓力及挫折感，再次將圖書

館管理績效由高原推向巔峯。

三、工資鐵律與「缺乏的動機」

　　我國勞動基準法第二條明文規定：稱薪資者，謂勞工因工作而獲得之報酬，這種工作所得如果與工作滿足（Job Satisfaction）相等或成正比，館員才能對組織產生認同感 ； 依馬斯洛（Abraham H. Maslow）的「需要層次理論（Hierarchy of Needs）」，人類的需求從低至高可包涵五個類別，而薪資則可歸爲最低層次的生理需求（Physiological Needs）唯有這最基本的需求獲得滿足後，人們的內心始有一股追求自我實現（Self-Actualization）需求的動力，因此 ， 馬氏便稱那些低層的需求爲「缺乏的動機（Deficiency Motive）」，而稱高層的需求作「發展的動機（Being Motive）」根據馬斯洛的研究，缺乏的動機是由個體有所缺欠而引起，在各種基本需求未獲滿足前，對個體的行爲具有支配作用，而發展的動機則是在缺乏的動機均已滿足之後才會發生作用❹。本此，薪資的設定實與工資鐵律原理若合符節，蓋工資鐵律源於生計成本學說（Cost of Subsistence Theory），主張工資額應與工作者所需的生活水準相等，若非如此則生以下二種可能情況：

㈠工資高於生活費用，必造成工作者數量增加，彼此競爭結果，終將使工資減少，而無法達到生活水準。

㈡工資低於生活費用，則將使工作者數量銳減，彼此爭逐至最後的結果，終會使工資提昇到應有的生活水準。

　　前已言之，工資鐵律由李嘉圖創設，企圖以缺乏的動機（或

可說生計水準)之滿足詮釋薪資存在的理由,到十九世紀後半葉,德國之名社會主義運動健將拉塞爾(Ferdinard Lassalle)便主張「生產合作」以否定李嘉圖的工資鐵律,拉氏極力鼓吹由國家給付合作資金,勞動者自成資本家,事業由工作者自行管理,從根將工作者救起❺,拉塞爾的自我管理觀,如從人力資源管理的立場審視,正是人們追求自我實現需求的滿足,吾人可說:在經濟思想史上,拉塞爾學說推翻了李嘉圖的工資鐵律,惟在人事管理實務上,拉塞爾觀點道出了人們有發展的動機欲求(Desire),它正可彌補缺乏的動機之不足。一言以蔽之:生理需求與心理需求都是同等被世人所重視,就管理實務而言李嘉圖思想和拉塞爾乃相輔相成,並行而不悖。

俗諺:「認定真實的問題,乃解決問題之一半。」在圖書館事業人、財兩難的情境,吾人不應侈言館員自我實現夢想的完成,而應踏實的來確定圖書館薪資問題的本質,換言之,圖書館亟需從速進行結構化的改革,重新檢討編制、翻修組織條例、健全人事架構,惟有如此,才能有效進行圖書館薪資管理;然在經濟邁向現代化的途程中,圖書館應採蛻變(Evolutionary)式的改革途徑以替代突變(Revolutionary)式的激烈革命,只有這樣圖書館才能名符其實的成為人類知識的水庫、學術的銀行、智慧的寶藏,以確實肩負起時代所賦予之激濁揚清,端正人心的精神使命;確切的說,圖書館改革的主體在人,尤其是館員更是推動圖書館事業的舵手我們應妥善的從制度規劃著手,來保障這羣文化尖兵的生計,須知唯有先求其缺乏動機的滿足,方可穩住專業館員(Professional Librarian)們的心,使他們在無憂無慮的情境下,傾盡全

力於圖書館日常館務中，並以身爲一位快樂的圖書館員爲榮。

　　嘗言：「千里之行，始於足下」。圖書館員的激勵如捨棄「貢獻—滿足平衡（Contribution & Inducement Equilibrium）」的法則，將館員薪資等低層次問題諱而不言，只求現狀維持、文過飾非，甚至捨本逐末的鼓吹館員去追尋發展性的動機，這種得過且過的作風，將使原本就極爲保守的圖書館組織趨於靜止不動的狀態（Static State），加上其後天許多不健全的法規，制度的束縛，形成圖書館管理惡性循環（Vicious Cycle）的現象；就人力資源管理診視，圖書館專業人員在社會經濟高度發展的今日，皆會產生「相對匱乏（relative deprivation）」的不滿，資深優秀專業館員在受其他行業「示範效果（Demonstration Effect）」的刺激下，掛冠而去，另謀他就者，屢見不鮮，無怪乎圖書館被世人譏諷爲「眞空館」，其不僅館藏貧乏，更缺少一流的專業館員爲讀者們服務。

　　綜觀以上所言，可說薪資乃人力資源管理之一環，而其背後眞正蘊涵的問題癥結在圖書館整體人事制度的不健全，若能重新釐定圖書館法制，全盤檢討館員人事任用制度，那麼薪資給付問題自可迎刃而解。本節所描繪的李嘉圖之工資鐵律正好與馬斯洛之缺乏的動機功能相當，二者都是在說明人類對基本需求的迫切性，「物不得其平則鳴」，在圖書館專業館員薪資患寡而非患不均的形勢下，要使薪資能立竿見影地發揮初步的激勵效果，似宜縮短理想生活水準與實際生活水準間的差距。

四、館員薪資政策之規劃

　　薪資是個人價值的指標，是法定地位的象徵，因之，政府對圖書館館員薪資的核定，應力求公平與合理。什麼是公平合理的俸給制度？依席克拉（Andrew F. Sikula）之學說俸給水準（Level of Salary）決定於以下幾項因素：❻

1. 政府財力。
2. 現行給付水準。
3. 自由裁量程度。
4. 資格條件。
5. 服務年資。
6. 工作績效。
7. 生活水準。
8. 生活成本。
9. 公會議價能力。

　　揆諸上面臚列的九項因素，吾人大致可歸納出薪資政策的訂定應注意「同工同酬」、「適應生活水準」及「符合供需競爭」等三個主要原則，❼ 詳言之，在工資鐵律的啓示下，館員的薪資，固應按其所負責任與職責予以支給，但同時亦應注意到維持館員的基本生計，如不顧及此點，必將影響到館員的工作效率，以經濟學的觀點評析，館員所領俸給數額的一般標準應與社會生活水準相適應，否則最低限度的物質薪資（Physical Salary）過低，館員便無法維持生活，俸給水準過高，則國庫無力負擔。此刻論及薪資政策的規劃實應注意「供需法則」的彈性調配；名人事管理學者馬塞爾（W.E. Mosher）等極力強調，「中央人事機關的重要功能，在適時調節薪給數額與水準，使與社會經濟變

遷相適應。」❽ 正是執意於此。

　　薪給既是工作的報酬，其作用只在確保館員「保健因素（Hygiene　Factors）」的不虞匱乏而已，因此就薪資管理長期規劃（Long-Term　Planning）的眼光來看，消極防弊是不夠的，薪資的規劃尚須有「激勵因素（motivators）」的機能，亦即要進一步的積極興利，簡言之；未來館員薪資規劃，除了受領單一薪俸的約聘人員（諸如副研究員、助理研究員、研究助理、額外幹事等）外，正式編制內的專業館員不僅要使其「缺乏的動機」得到滿足，更要讓他們有升遷發展的機會。然生理需求是心理需求的基礎，勞苦功高的基層館員在一般俸給（General Salary）外，亦須注意額外附加福利的酌給，諸如退休、保險、撫卹、補助、津貼及給假等等，人力資源管理學者統稱為「邊緣利益（Fringe Benefits）」或「剩餘福利（Surplus Welfare）」當今福利性給予已凌駕正式薪俸，吾人於檢討館員薪資政策時，勢須將其納入以一併考慮，俾可製訂出一套可行的薪資管理方案察閱中國考銓制度史，歷代文官制度皆稱俸給為「秩俸」，秩為官秩或等次，相當於今日之俸級與職等；俸為俸祿或給與，即現制之俸給或福利；自魏晉行「九品中正制」以降，到宋元明清，歷朝文官體制都重視俸給與福利措施的配合，足見邊緣福利在我國其來有自❾ 往後在規劃圖書館員待遇時，不應將這良好美制予以忽略，宜注意「主要薪俸」和「輔助給與」的密切相互配合。

五、結　語

　　科學管理之父泰勒（Frederick　W.　Taylor）曾云：「過

去為人才第一，從今以後都必為制度第一，但並非謂絕不需要偉大人物。反之，任何完善之制度均以發展一級人才為目的。」❿徒善不足以為政，徒法不足以自行；人心的向背乃組織運作成敗得失的總關鍵，本文於縷析圖書館館員的薪資問題後，殷切盼望政府能權衡納稅人租稅擔負能力、國家支付力量及維持館員生活水準以策立圖書館薪資制度，亦即薪資政策之健全，須同時兼顧人民（讀者）、公務員（館員）、及政府三方面之立場與利益。

眾所周知，我國是最早設立圖書館的國家之一，現在政府尤大力推動各項文化建設，隨著福利國家（Welfare State）時代的來臨，治事最多的政府，才是最好的政府（Government Best, Government Most），圖書館既是典型的服務機構（Social Service Agency），社區人士無不寄以深切之厚望，吾人更期待未來圖書館行政改革時，可先確立館員的地位，經由人事制度的革新帶動讀者服務與技術服務的革新，使圖書館經營邁向「周雖舊邦，其命維新」的新境界。

〔附　　註〕

❶ D. Ricardo, *The Principles of Political Economy and Taxation* (N. Y.: Dent & Sons Co., 1957), p. 52.

❷ 黃純敏，「從社會學觀點探討圖書館專業與圖書館員社會地位」，**中國圖書館學會會報**，37期（民國74年），頁139。

❸ 范承源，「高等教育與圖書館：美國大專圖書館重大問題的探討」，**美國研究**，14卷 2 期（民國73年 6 月），頁101-106頁。

❹ 廖又生，「ERG 理論與圖書館義工之激勵制度」，**臺北市立圖書館館訊**，8 卷 1 期（民國79年 9 月），頁10-14。

❺ 高叔康編著，**經濟學新辭典**（臺北：三民，民國76年），頁560。

❻ Andrew F. Sikula, *Personnel Administration & Human Resources Management* (N. Y.: John Wiley Son, Inc., 1976), p. 299.

❼ 林文睿 ，**臺灣地區公私立大學圖書館人事管理制度之比較研究**（臺北：臺大圖書館研究所，民國78年），頁92-93。

❽ W. E. Mosher, J. D. Kingsley and O. Glenn Stahl, *Public Personnel Administration* (New York: Harper & Row, Publishers, 1950), p. 282.

❾ 楊樹藩，**中國文官制度史**（臺北：黎明，民國71年），冊上、下有關秩俸部份。

❿ Frederick. W Taylor, *Principle of Scientific Management* (New York: Harper & Row, Publishers, 1947), pp. 36-37.

〔參考書目〕

中文部份

王德馨。**現代人事管理**。臺北：三民，民國54年。

李長貴：**人事管理學**。臺北：中華，民國78年。

金耀基。**從傳統到現代**。臺北：時報，民國69年。

范承源。「談臺灣大專圖書館專業人員的培養」。**國立臺灣大學圖書館學系成立二十週年紀念特刊**（民國70年12月），頁55-59。

胡懿琴。「人的管理集體討論」。**臺北市立圖書館館訊** 3卷1期（民國74年9月），頁32-34。

陳興夏。「圖書館行政改進實務探討」。**臺北市立圖書館館訊** 3卷1期（民國74年9月），頁1-2。

張潤書。**行政學**。臺北：三民，民國75年。

黃世雄。「圖書館管理新趨勢──零基預算法」。**臺北市立圖書館館訊** 3卷1期（民國74年9月），頁3-9。

黃英忠。**企業人力發展的方法**。高雄：國立中山大學中山管理學術研究中心，民國79年。

傅寶眞。「未來資訊社會中之圖書館與圖書館員──圖書館工作革命之分析及其與社會之關係」。**國立中央圖書館館刊** 新17卷1期（民國73年6月），頁23-27。

楊美華。「我國公共及大專圖書館的人事規劃研究」。**中國圖書館學會會報** 40期（民國76年6月），頁27-52。

潘華棟。「發展中國家的圖書館敎育──挑戰與回應」。**圖書館事業合作與發展研討會會議論文**　（民國70年 6 月），頁299-305。

謝安田。**人事管理**。臺北：自印，民國71年。

謝瑞吉。「圖書館自動化的人力資源管理」。**臺北市立圖書館館訊**　4 卷 1 期（民國75年 9 月），頁46-49。

鍾素明。「淺談圖書館管理」。**臺北市立圖書館館訊**　3 卷 1 期（民國74年 9 月），頁34-37。

龔平邦。**現代管理學**。臺北：三民，民國67年。

英文部份

Altman, Ellen. *Local Public Library Administration*. Chicago: ALA, 1980.

Argyris, Chris. *Integrating the Individual and the Organization*. New York: John Wiley & Sons, Inc., 1964.

Bennis, Warren G., *Changing Organizations*, New York: Mc-Graw Hill Book Co., 1966.

Bose, Anindya, "Librarianship and Information Management: A High-Tech Profession". **教育資料與圖書館學** 22 卷 1 期（民國73年 9 月）：10-19.

Chapman, Edward. A. et al. *Library Systems Analysis Guidelines*. New York: John Wiley, 1970.

Dix, William S., "New Challenges to University Libraries." *Princeton University Quarterly* 26 (Fall 1965): 4-10.

Gutteride, Thomas G. "Organizational Career Development System: The state of the practice." In Douglas. T Hall eds. *Career Development in Organizations.* San Francisco, California: Jossey-Bass, Inc. 1986.

Hall, Douglas T. & Goodale, James G. *Human Resource Management.* Glenview, Illinois: Scott, Foresman and Company. 1984.

Holley, William H. & Jennings, Kenneth. M. *Personel/Human Resource Management-Contributions and Activities.* New York: The Dryden Press. 1987.

Lock, R. N. *Library Administration.* London: Crosby Lookwood & Son, 1961.

Mathis, Robert L. & Jackson, John. H. *Personel-Human Resource Management.* New York: West publishing Company. 1985.

Nadlar, Leonard. *The Handbook of Human Resource Development.* New York: John Wiley and Sons, Inc., 1984.

Ricardo, D. *The Principles of Political Economy and Taxation.* New York: Dent & Sons Co., 1957.

Shera, Jesse H. *Introduction to Library Science.* Littleton, Colo.: Library Unlimited, 1976.

Stueart, Robert D. and Eastlick, John. T. *Library Management.* Littleton, Colorado: Libraries Unlimited, 1981.

Torgensen, Paul E. and Weinstock, Irwin. T. *Management: An Integrated Approach.* Englewood Cliffs, N. J.: Prentice-Hall, 1972.

Young, Heartsill. ed. *The ALA Glossary of Library and Information Science.* Chicago: ALA. 1983.

第五篇

「燙爐法則」

與圖書館員工之紀律管理

「燙爐法則」與圖書館員工之紀律管理

一、引 言

自組織與管理思想萌芽以來，如何有效維持組織紀律 (Discipline) 向爲管理學者所矚目，是以現代管理學之父費堯(Henry Fayol) 所揭示的「十四項管理原則 (Fourteen Principles of Management)」中卽有「紀律」這項法則；其後人力資源管理 (Human Resource Management) 學說體系日漸完備，亦率皆承認「紀律管理」爲人事管理的主要研究課題之一。

如衆所知，圖書館是一個開放體系 (Open System)，它以滿足讀者資訊需求爲首要目標，所以館內組成份子（從館長到基層館員及工讀生等）的行爲必須求其符合角色規範，這樣才能達成圖書館組織既定的目標；否則，任憑館內員工自由裁量、我行我素，則有綱紀廢弛、理法蕩然之虞，在現今我國圖書館事業發展方興未艾之際，謀求圖書館員工服務水準的維持及增進全體館員的工作效率，實爲圖書館管理者之重要任務。

基於圖書館管理理論與實務的雙重需求，本文作者欲從人力資源管理中之基本法則來闡述圖書館組織的紀律管理問題，進而寄望圖書館可經由組織內良好秩序的建立與維繫，以全面提昇其經營之效率與效能。

二、Ｘ理論與Ｙ理論

本文所引證之「燙爐法則 (Hot Stove Rule)」見諸於美國麻省理工學院心理學教授麥克格里高 (Douglas McGregor, 1906-1964) 所著「企業的人性面 (The Human Side of Enterprise)」一書，❶它用以指涉紀律系統的可預測性及權威性；麥氏所舉的燙爐法則乃源於其對人性的兩種不同的假定 (assumptions about human nature) ，故此處先行描述人性假定與組織經營的關係，其次再論述燙爐法則的原理。麥克格里高分別以Ｘ理論 (Theory X) 及Ｙ理論 (Theory Y) 來代表兩套不同的人性管理哲學；筆者扼要將其不同點比較如下：❷

X理論 (性惡論)	**Y理論** (性善論)
1.好逸惡勞，逃避工作。	1.樂於工作，勤奮不懈。
2.強迫控制，極權領導。	2.自我控制，民主領導。
3.得過且過，消極頹唐。	3.負責進取，發揮潛能。
4.懶骨頭先生(Mr. Lazybone)	4.有效率先生(Mr. Efficiency)

簡言之，Ｘ理論是著眼於負面的觀點 (Negative View)，圖書館經營者視紀律爲增強行爲的手段，基於性惡論的假定，組織設計者常用嚴刑峻法藉以消極的防弊；反之，Ｙ理論是立足於正面的觀點 (Positive View) ，假定圖書館員工自我約束以擴大工作成就，這種本於性善論的理念，組織設計者則慣以員工自律的方法來激勵士氣，俾能鼓舞員工努力向上以積極爲組織興利。由此可見人性假定之不同亦會影響紀律管理的方式與內涵；

麥氏所創的Ｘ理論與Ｙ理論之假定正如同於我國先秦時代孟子、荀子間的善惡王霸之辨，旗鼓相當、壁壘分明；採用不同的人性假定，便會產生迥然不同的管理哲學。

人力資源管理學家布蘭布特 (Earl R. Bramblett) 曾界定：「紀律廣義的說就是秩序（Orderliness）。」❸既是涉及秩序的維持，任何組織建立紀律乃不可或免，組織若無紀律，則其成員將形同一盤散沙，儼如無舵之舟，無銜之馬，飄蕩奔逸，終亦何所底乎？如此，豈不與組織原先構定的目標背道而馳；先秦哲人韓非子曰：「國無常強無常弱，奉法者強，則國強。奉法者弱，則國弱。」洵非虛言，蓋任何組織之員工有著一股守法重紀之精神，其對組織方能產生向心力，而組織在此上下一體、同心同德的氣氛之中必能由弱變強、轉危為安。惟組織紀律規範的擬定，往往又視其特性之不同而有所分野，一般而言，封閉性體系 (Closed System) 常把人性作惡的假定，因此組織之紀律維持便仰賴嚴格的教條或法規的強制性來達成，反之，開放性體系崇尚Ｙ理論，經由紀律來表彰成員的權利及義務，進而確保組織整體的利益。是以組織本質不同，其對紀律要求的宗旨亦有所差異，茲再將封閉體系與開放體系有關紀律管理制度之差別整理如下：

封閉體系	開放體系
1.人性本惡。	1.人性本善
2.Ｘ理論導向。	2.Ｙ理論導向。
3.消極防弊。	3.積極興利。

　　我國圖書館學巨擘沈寶環教授嘗言：「圖書館是一個有生命的有機體(a living organism)。」旣是有機體自屬開放體系，圖書館組織之本質與軍隊、監獄、精神病院等封閉體系截然不同，它是一個典型的服務性組織（Service agency），其紀律的維持旨在修正館員行爲以使之符合組織期望的目標，換言之；就是藉著紀律以對守法員工施予相當保障，同時輔以適度的處罰以懲一儆百，這可說是預防的紀律管理居先，矯正的紀律管理在後的一種紀律制度系統。論者或謂圖書館旣爲一開放的有機體(an open organism)，可否在紀律管理上專門講究「愛的教育」而割捨畏人的「鐵的紀律」？筆者以爲斷不可做如是觀，因爲預防式的愛的教育固可防患行爲於未然，促使員工對組織興利；然鐵的紀律亦可懲前毖後，收亡羊補牢之效果。職是之故，我們大可說一個優良的圖書館紀律管理制度，理當剛柔相濟、恩威並用，俾能因應客觀事實的需要。這種道理，恰如民主與法治(rule of law)不可分一般，凡民主國家必爲法治國家，政府與人民的行爲壹以法律爲依歸，政府施政不可違背「依法行政」原理、人民行擧不得逾越法律規範之外，由此可見，法律不僅是維持社會紀律的工具，它亦爲政府與人民雙方必須共同遵守的競技規則 (Rule of Game)。若衆人行爲脫離法治軌道，那麼社會便立刻墜入脫序（anomie）的危險期。組織爲社會的縮影，自應認淸此理並引以爲鑑。

　　揆諸以上所言，可知圖書館組織紀律尺度在求得情、理、法三者兼顧，因此在策劃紀律規範前似可採用目標管理(Management By Objective, MBO) 的方法，利用共同參與的方式將

組織所要達成的目標與個人需求加以整合，迨整個圖書館的紀律系統建立後，各階層主管便要確實負起維持紀律的責任；是故麥克格里高在揭櫫「X理論」與「Y理論」之管理方式後，緊接著便倡言「燙爐法則」，俾喚醒圖書館主管在折衝尊俎之餘，應有維持組織綱紀的決心與毅力，基本上，燙爐法則的真諦，約可分下列幾點加以詮釋之：❹

㈠即知即行

　　法律無假期，一旦確認部屬敗法亂紀，即應迅速採取行動，不要遲疑不決，否則會引起同事間之猜疑，打擊紀律公信力，貶損組織主管威信，導致部屬僥倖、投機，過錯頻仍。

㈡令而後行

　　紀律即維持組織秩序的不二法門，組織頒行之法令規章，除避免朝令夕改外，更要令部屬事先明瞭權利與義務的範圍，同時可預知不當行為所應得的後果。

㈢公正無私

　　主管與員工都要有「法律之前，人人平等」的共識，執法剛正嚴明，掃除專制時代「只許州官放火不准百姓點燈」的陋習，無論何人在何時何地違規犯法，其後果均應一視同仁、無所差別。

㈣控制得體

　　主管處理違紀事件時應一秉至公，明察秋毫，不許人陰私、勿片言決獄，以對事不對人（Impersonal）的態度來矯正部屬行為的偏差。

㈤以身作則

　　「政者，正也，子帥以正，孰敢不正。」主管人員應作之

君,作之師,從個人作起,由內心出發,崇法務實、躬親實踐,以為部屬之表率,卽經由風行草偃之德教,以收頑廉懦立的效果。

㈥規則明確

紀律系統之完整取決於規範的明確、妥當;且發奸擿伏、檢舉不法,無論實體的認定抑或法規的適用,在在都應符合正當法律手續 (Due Process of Law) 之要求。

綜合以上六點說明,不難窺見燙爐法則大要,燙爐象徵著預警,倘若人們漠視法紀、觸犯刑章,那麼就如同觸及熱爐會被灼傷一般。

三、紅蘿蔔與棍棒

麥克格里高所提出的人性假定二元論:卽X理論與Y理論,自一九六○年以後風靡一時,各類組織的經營者紛紛就其本身所擁有的組織文化 (Organizational Culture) 來塑造適合自己風格的紀律管理系統,有的以X理論為基礎樹立矯正式的紀律管理理;亦有以Y理論為導向建立預防的紀律管理系統,前面提及,圖書館的紀律系統本質上屬於以Y理論為主的構架,因此有關圖書館紀律管理便圍繞著人性本善的管理哲學來進行。

麥氏於其代表性鉅著 —— 「企業的人性面」中,也提出紀律管理的具體內涵 (有的學者亦稱激勵的手段) ,麥氏以「紅蘿蔔與棍棒政策 (Carrot & Stick Policy) 」描繪之,追本溯源,其來自於X理論及Y理論的相互比較,麥克格里高本人在提出並比對XY理論之不同後,他亦主張人性本善理論,反對自古典理論 (Classical Management Theory) 以來把人當作「壞人」

的立論，麥氏曾說：傳統式的管理常將人視為低等動物（例如小白兔）一般，當員工表現優良時卽給予紅蘿蔔報酬（Reward），反之，部屬行為表現欠佳便施予棍棒藉資懲罰（Punishment），這種人性本惡式的紀律（或激勵）內涵，卽是紅蘿蔔及棍棒政策。❺誠然，紀律的內涵主要透過「獎勵」及「懲罰」兩種制度來施行，固屬勿庸置疑，問題出在這種純屬生理需求層次（Physiological Needs）的紀律制度似乎無法涵蓋各類型圖書館紀律系統的內涵；就現今我國圖書館事業發展的趨勢來看，筆者可將圖書館的紀律制度歸納成兩大類：

㈠適用紅蘿蔔與棍棒政策者

這類型的圖書館員工已被泛公務員化，人人在特別權力關係的籠罩下，圖書館組織呈現官衙式結構（Bureaucratic Structure），其內部均有一套複雜的法規系統以強制館員履行義務，較重要的規範如公務人員服務法、公務人員考績法、公務人員懲戒法及公務人員請假規則等。其獎懲方式依行政學名家繆全吉教授歸納有：❻

1.獎勵方法：嘉獎、記功、記大功、獎金、獎狀、獎章或勳章、
　　　　　　加薪、升等。
2.懲罰方法：申誡、減薪、記過、降級、休職、免職或停職、因
　　　　　　觸犯刑章依法究辦、撤職。

觀諸上面幾大紀律基準法所訂定的內容，大抵都偏重於消極性的防弊措施，其懲罰方法更是嚇阻員工的利器，雖在獎勵方式上亦不乏若干激勵因子（Motivators），諸如記功勳獎等，但

實務運作上常見賞從上行、罰由下起的爭功諉過現象，加以公立圖書館位階低、從屬性強，常易導致組織目標轉換 (Displacement of Organizational Goal) 的缺憾❼，使積極性的激勵（即獎勵）變成惠而不實；這類型的圖書館諸如各縣市文化中心、鄉鎮圖書館及其他公立公共圖書館、學校圖書館等，由於他們較易受物質性的報酬及強制性方法的鞭策，故筆者認為他們的紀律趨近於紅蘿蔔及棍棒政策。

㈡不適用紅蘿蔔與棍棒政策者

這類圖書館的紀律系統淵源於「貢獻——滿足平衡理論 (Contribution-Inducement Equilibrium Theory)」，認為員工所以為組織竭盡所知，傾盡所能，乃是因為該組織能給予他各種滿足，故貢獻與滿足猶如義務與權利是互對並存的，因此圖書館組織的生存與發展，有賴於貢獻與滿足的平衡。❽玆將其獎勵與懲罰方式臚列於下：

獎勵方式	懲罰方式
貨幣性之激勵：	
1.薪資、獎金、紅利。	1.懲處、解僱。
2.股票、物品、休假。	2.停職、降職。
非貨幣性之激勵：	
1.升遷、工作條件改善。	
2.成就感、榮譽感。	

本類型的紀律系統內涵，旨在正面強化（Positive rein-forcement)行為的功能，以便提昇圖書館的員工士氣，屬於此類型的圖書館像各工商專門圖書館、財團法人式之公共圖書館、資訊中心及私立大學圖書館等等，他們均能擺脫傳統組織下法規強制性的羈絆，以有機式結構（Organic Structure）方式運行，故能展現特定功能，而得以在穩定中追求成長。因之，筆者將這種人性本善式的紀律制度，視爲超越紅蘿蔔與棍棒外的另一類型。

衡諸以上兩類紀律系統之特色，可說凡是將人性假定爲惡者必歸於紅蘿蔔與棍棒的紀律制度，反之，將人性假定爲善者，則屬貢獻 —— 滿足平衡理論的範疇。那麼業界當可質問，究竟圖書館紀律管理在「不歸楊，則歸墨」的兩極化（Polarization）制度間該作何取捨？其實這項問題筆者在前面行文間早已論及，圖書館是一開放式的有機體，在紀律系統的設計上自不宜畸重畸輕、顧此失彼，是以筆者建議採行「Y理論爲主，X理論爲輔」的紀律系統；準此，亦企盼圖書館界能認清這點，並可適切斟酌損益既有的紀律規範。

四、Z理論時代的來臨

如果說古典理論以正統主義（orthodox）自居，將其歸爲「正」，那麼新古典理論（Neo-Classical Management Theory）則以行爲科學（Behavioral Science）方法修正古典論學說，可將其視爲「反」；麥克格里高的X理論本質上屬於古典理論的性惡觀，Y理論則是新古典理論的性善觀；兩派利弊互

見、互爲長短，迨一九六九年美國北德州大學管理學敎授席斯克
（Henry　L.　Sisk）認爲X理論注重「制度」，Y理論注重
「人」，兩者均有所偏，必須制度與人同時兼顧，因此，席氏在
「管理的原則」(The Principle of Management)一書中，採
取系統途徑來研究組織與管理，他舉出組織人員的多寡、員工的
交往程度、員工的個性、目標的一致性、決策層級的高低及組織
的狀態等六個交互影響組織的情境變數，來衡量組織結構與組織
過程是否適當。❾世人通稱席斯克學說爲Z理論（Theory Z），
他象徵管理思想整合時代的來臨；管理哲學經由「正」、「反」、
「合」三階段的衍變，亦可看出人類思潮發展的大勢，此深値吾
輩在研究圖書館紀律管理時密切留意。

　　紀律系統背後蘊涵的哲學思想足以左右圖書館紀律制度的內
容，Z理論的問世，意謂紀律管理應採系統整合的方法以構定明
確的規範，而不宜失之一偏，此爲我國圖書館事業邁向現代化里
程亟待改弦易轍的地方。

五、結　語

　　圖書館紀律管理的宗旨在求「因任督責」、「綜覈名實」、
「信賞必罰」；紀律維持之道無他，「獎」與「懲」的運用而已，
獎所以利用人的上進心使之發揮最高的服務效能，懲所以利用人
的畏懲心保持個人最低限度的工作標準。❿自古以來人性善惡的
假定決定了組織紀律系統的風格，根據本文之探討圖書館組織紀
律管理以採Y理論爲主、X理論爲輔的方式較爲可行，所以筆者
建議今後我國各公立圖書館的紀律考核似宜以積極的鼓勵方法替

代傳統消極性的監督。

　　管子任法篇有云：「有生法，有守法，有法於法。夫生法者君也；守法者臣也；法於法者民也。君臣上下貴賤皆從法，此謂之大治。」是以組織紀律的維持除設一套良好的規範以作準繩外，上下更應恪遵「燙爐法則」的教誨，免除傳統深入人心之「刑不上大夫，禮不下庶人」的不平等觀念，確實建立起法的威信。果真如此，圖書館員工必能不淫意於法之外，圖書館主管亦可不為惠於法之內；主管與員工互信互諒，一起捍衛圖書館的紀律系統；館長與館員羣策羣力，共同再為圖書館事業開創新格局。

〔附 註〕

❶ Douglas McGregor, *The Human Side of Enterprise* (New York: McGraw-Hill Book Company, 1960).

❷ Douglas McGregor 原著，林錦勝譯，**企業的人性面**（臺北：協志工業，民國58年），頁24-25。

❸ Earl R. Bramblett, "Maintenance of Discipline" *Management of Personnel Quarterley* Vol. 1 (Autumn 1961), pp. 10-14.

❹ 黃英忠，**現代人力資源管理**（臺北：華泰，民國78年），頁206。

❺ 同註❶。

❻ 繆全吉，**人事行政**（臺北：空大，民國79年），頁421-440。

❼ 廖又生，**圖書館組織與管理析論**（臺北：天一，民國78年），頁22。

❽ Chester I. Barnard, *The Functions of the Executive* (Cambridge, Mass., : Harvard University Press, 1938), p. 142.

❾ Henry L. Sisk, *The Principle of Management* (Cincinnati, Ohio.,: South-Western Pub. Co., 1969), pp. 282-284.

❿ 張金鑑，**行政學典範**（臺北：自刊本，民國68年），頁522。

〔參考書目〕

中文部份

王錫璋。**圖書與圖書館論述集**。臺北：文史哲，民國69年。

沈寶環。**圖書、圖書館、圖書館學**。臺北：學生，民國72年。

何光國。「MBO與圖書館經營」。**書府**12期（民國80年 6 月）頁127-154。

吳靄書。**企業人事管理**。臺北：大中國，民國80年。

范承源。「美國的社會變遷與教育，一九六〇至一九八〇」。**美國研究**13
　　卷 1 期（民國72年 3 月），頁101-160。

高錦雪。**角色定位與圖書館之發展**。臺北：書棚，民國78年，

許士軍。**管理學**。臺北：東華，民國70年。

張鼎鍾。**圖書館學與資訊科學探討**。臺北：學生，民國71年。

楊美華。**大學圖書館之經營理念**。臺北：學生，民國78年。

楊若雲。**圖書館學辭典**。臺北：五洲，民國73年。

劉昌博。「當前公共圖書館的任務與作法」。**中國圖書館學會會報** 34 期
　　（民國71年12月），頁1-10。

鄭吉男。「公共圖書館的經營策略」。**書府** 7 期（民國 75 年 6 月），頁
　　41-47。

鄭健才。「人事政策」。**人事行政**35期（民國61年12月），頁 8 。

鎮天錫。**現代企業人事管理**。臺北：中華，民國66年。

顧　敏。**圖書館學探討**。新竹：楓城，民國70年。

英文部份

Aft, Lawrence S. *Productivity Measurement and Its Improve-*

ment. Reston, va.: Reston, 1983.

Ballard, T, H., "Delegating away the Peter Principle; good librarians can remain so, even when they become directors." *American Libraries,* 14 (December, 1983): 734-6.

Brandehoff, S. E., "Spoilingt on women managers." *American Libraries,* 16 (January, 1985): 20-6.

Coplen, R. and Regan, M., "Management in special libraries: a case study approach," *Special Libraries,* 75 (April, 1984): 126-30.

Cummins, T. R., "Hindsight as an administrative tool", *Kentucky Libraries,* 47 (Fall, 1983): 6-9.

Cyr, H. W., "Management tools: here and now," *Public Libraries,* 23 (Fall 1984): 95-97.

Desmons, G., "Brainstorming to man-management", *Library Association Record,* 86 (April, 1984): 163-169.

Ehrenberg, R. G. et. al., "Unions and Productivity in the public sector: a study of municipal libraries.". *Industrial & Labor Relations Review,* 36 (January, 1983): 199-213.

Elliott, Robert H. *Public Personnel Administration.* Reston, Virginia: Reston Publishing Company Inc., 1985.

Forester, J. *Planning in the Face of Power.* Berkeley: Univ. of California Press, 1989.

French, Peter A. *The Scope of Morality.* Minneapolis: Univ. of Minnesota Press, 1979.

French, Wendall, *The Personnel Management Process.* 3rd ed., Boston: Houghton Mifflin Company, 1974.

Gilley, Jerry W., and Steven A. Eggland, *Principles of Human Resource Development*. Manchester, Ma.: Addison-Wesley Publishing Company, Inc., 1989.

Guzzo, Richard A. *Program for Productivity and Quality of Work Life*. New York: Pergamon Press, 1983.

Harrison, K. C. *Public Relations for Librarians*. Hampshire, Eng.: Gower House, 1982.

Hiebing, D., "Wisconsin idea at work: Cooperative development of a public library administration course." *Public Libraries*. 22 (Winter, 1983): 153-155.

Iwaschkin, R. "Rise and Fall of Management." *New Library World*. 85 (January, 1984): 101-102.

Jones, Ken. H., *Conflict and Change in Library Organization: People, Power and Service*. London: C. Bingley, 1984.

Lowell, M. K. *The Management of Libraries and Information Centers*. Metuchen. N. J.: Scarecrow, 1975.

McGregor, Douglas. "An Uneasy Look at Performance Appraisal." *Harvard Business Review* 35. no. 3 (May-June 1957): 89-94.

Overton, David, *Planning the Administrative Library*. Munchen, K. G. Saur, 1983.

Rosenbloom, David H., & Jay M. Shafritz, *Essentials of Labor Relations*. Reston, Va.: Reston, 1985.

Sager, D. J. *Managing the Public Library*. New York: Knowledge Industry Publications, 1984.

Self, P. *Administrative Theories and Polities*. 2nd ed., London:

George Allen & Unwin, 1977.

Shaughnessy, T. W., "Cutback management in university libraries: a case study," *Show-Me Library* 35 (April 1985): 5-10.

Silence, L. K., "Rising young library executive's procedure manual." *Show-Me Library.* 34 (September. 1983): 35-38.

Stainer, Gareth. *Manpower planning: The Management of Human Resources.* London: Heinemann. 1971.

Strauss, Grover, & L. R. Sayles, *Personnel: The Human Problem of Management.* 3rd ed., Englewood Cliffs, New Jersey: Prentice-Hall, Inc., 1972.

Vroom, Victor. *Work and Motivation.* New York: John Wiley and Sons, 1964.

Waldo, Dwight. *Public Administration in a Time of Turbulence.* New York: Chandler, 1972.

Walker, James W. *Human Resources Planning.* New York: McGraw-Hill, 1980.

圖書館作業管理

第六篇

「八十／二十法則」
與法律文獻之採訪政策

「八十／二十法則」與法律文獻之採訪政策

一、引　言

　　為加強法律知識的宣傳與研究，教育社會大眾建立正確的法治觀念；提供充分的資訊做為行政機關立法、修法的參考依據；確實掌握全國法律資訊，有效支援學術研究，國立中央圖書館乃規劃成立「法律室」，供眾閱覽。筆者有幸，忝為採訪組主任，參與法律室籌備小組行列，深感與有榮焉。蓋法律者，乃以保障羣眾安寧，維持社會秩序為目的，而通過國家權力以強制實行之一種社會生活規範，由於法律資料具有高度專業化的特性，對於法律圖書資料之提供，一般館員仍持較保守的態度❶，外加圖書館囿於人員、經費之困難，成立法律室之先，嚴謹審慎的確立採訪方針，也就格外顯得重要。所幸該館已於民國77年6月編訂「國立中央圖書館館藏發展政策」，在此政策揭示（Policy Direction）下，籌備期間更博採周諮、集思廣益，先行邀集法律學者專家、政府有關單位及各法律圖書館負責人舉行座談，再則延聘美國布魯克林法學院圖書館副館長汪引蘭女士擔任顧問，共同參與研究策劃法律室的設立，此為其籌劃該室之經過大要。

　　眾所周知，圖書採訪可說是圖書館工作的開始，是圖書館技術服務（Technical Service）的前哨，其運作之得失攸關整個

圖書館業務之成敗，該館在經費有限、人力短缺的兩難情況下，如何確立法律室之館藏發展政策（Collection development policy），以求其能用最低的成本獲得最大的效益，筆者擬引圖書館管理裏著名的「八十／二十法則（The 80/20 Rule）」來論述國立中央圖書館法律文獻之採訪政策，藉此以確立其法律室未來圖書資料的採訪方針。

二、「八十／二十法則」之緣起及發展

「八十／二十法則」最先由義大利學者帕拉托（Vilfredo Pareto, 1842～1923）提出，氏以「重要少數、不重要多數（Vital few, trivial many of Pareto's Law）」之警世良言來昭告管理者於經緯萬端的管理事務（managerial job）中理應掌握住關鍵性的百分之二十，而蓄意的省略瑣細的百分之八十；不久，這種獨具創意的觀點已被工商企業界廣泛的利用，特別是在庫存管理與所得分配的技術❷；例如在經濟學上，學者常以帕拉托法則描繪「少數人常控制大多數國民所得」的經濟現象；另外，企業管理的物料管理（Materials Management）過程亦用「八十／二十法則」，以資進行重點式管理，所以工廠的物料庫存管理採用 ABC 分類法，即依照物料的價值或份量多寡，將製造的原料區分為三類：A 類物料指的是量少而所佔金額極高的物料；反之，C 類物料則是數量繁多而所佔總金額極低的物料，介於二者間的則歸價值、種類均適中的 B 類物料，ABC 分類法旨在提醒工廠負責人在進行物料管理時應把握重心、釐清本末，始能順利完成產品之製造。

「八十／二十法則」，雖發軔於二十世紀初的工商企業界，但以後適用的範圍逐漸推廣，其中以二次大戰結束後在圖書館學及資訊科學裏所形成的新興次領域 (Subfield) ── 書目計量學（Bibliometrics）之繼受帕拉托法則，與圖書資料之採訪關係最為密切，1969年特魯斯威 (Richard Trueswell) 在 Wilson Library Bulletin 上提出書目計量學上的「八十／二十法則」，氏謂在某一主題下，百分之二十的作者，會產生所有論文的百分之八十；或者說約百分之八十的流通資料，會集中於百分之二十的館藏 ❸ ，這種見解恰如前面所提及的：庫存管理中的百分之二十的物料，會佔有百分之八十的總交易值（此即 A 類物料之特性），準此，圖書館館藏發展之規劃，常見以「八十／二十法則」及「布拉福定律 (Bradford's Law)」以確定重要的核心館藏 (Core Collection) ，所謂的「布拉福定律」，全銜應稱為「布拉福分佈定律 (Bradford's Law of Scattering)」，其指出少數的核心期刊即可佔期刊使用的相當比例，如超過一定的比例之後，布氏定律便呈一種報酬遞減的趨勢 ❹ ，布拉福的見地與特魯斯威相同，二定律實有異曲同工之妙，皆不失為對圖書資料採訪時作成本效益分析 (Cost-Benefit Analysis) 的有效工具；有關「布拉福定律」，並不直接涉及本主題，茲不贅述，容來日適時再加引介。

綜觀「八十／二十法則」的誕生及發展，它雖最初用以詮釋管理決策問題，稍後也被引用於經濟學上的所得分配、生產管理過程中的存貨管制，第二次世界大戰以後在書目計量學中也構建了八十／二十法則；總之，八十／二十法則的適用日漸普遍，它

廣泛的被用以解釋各種人類所面對的重大問題，不過儘管它的沿用與日擴增，但其基本的意涵則如出一轍；那就是各行各業引用帕拉托法則時都有一種共同的體認；它象徵著規劃過程要重視「例外管理 (Management By Exception)」，決策者尤其要針對重大，且關鍵性的百分之二十事件，進行規劃、組織及控制❺。

三、「八十／二十法則」與圖書採訪政策

一八七六年ALA成立時，麥威爾·杜威 (Melvil Dewey) 曾爲圖書採訪作業擬訂出一道準則，那就是：「費極微之代價將至善之讀物，供大多數人士利用」(The best reading for the largest number at the least cost) ❻，依此，圖書採訪作業仍需考慮其計劃性、目的性及經濟性三方面因素，詳言之，圖書採訪必須在政策的指導下進行策略規劃（Strategic Planning），其過程可以圖6-1表示：

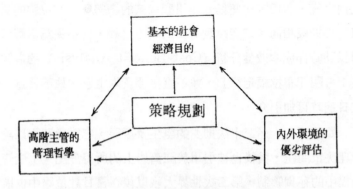

圖 6-1：採訪作業管理之策略規劃

　採訪作業進行策略規劃，旨在提高圖書館經營之力基（Niche），即凸顯或擴大圖書館的最大可能成就，基本上，圖書館進行採訪策略規劃應注意三大構面的問題：

㈠基本的社會經濟目的

　即採訪作業基本目的，其必須配合讀者需求（User Demand）、社區特性、圖書館宗旨來構定策略規劃的前題（Premises）。通常圖書館會建立其書面選書政策（Written Selection Policy），以作為圖書館館藏發展的藍圖。

㈡高階主管的管理哲學

　所謂的政策（policy），乃指組織目標的揭示。高級主管（館長）的價值觀念，往往會形成圖書館發展的方針，也會塑造圖書館獨特的管理風格。因此，採訪策略規劃的落實自是館長理念的逐行，這是採訪館員必須加以配合的一項要務。

㈢內外環境的優劣評估

　圖書採訪須衡量整個館外在及內在的機會（opportunity）與威脅（threat），以明瞭圖書館館藏的長處和弱點，就八○年代圖書館管理面臨系統不靈、資金短缺、人力不足及資訊爆炸的危機，尤須進行環境評估，以利採訪政策之落實。

　總合策略規劃必須考慮的三大構面，吾人不難看出整體性的策略規劃乃是：圖書館為獲致組織的使命（mission）、長程目

標 (long-term objective) 及政策所進行的概括性、綜合性的
規劃過程。其目的在追求圖書館的力基，以充份運用圖書館有限
的人、財、物力，來圓滿達成圖書採訪的任務。然策略規劃在圖
書館採訪政策及程序 (Library Acquisition Policies and
Procedures) 裏是偏重於整體館藏 (Integrated collections)
的全盤性規劃，若是特殊的局部化 (partial) 館藏發展（如央館
法律室），在策略規劃後，更應輔以明確的決策規劃法則，這樣
方能使採訪作業過程健全而具體，本文所提出的「八十／二十法
則」，正可以提供採訪政策理性規劃的一個新方向；蓋策略規劃
勾劃出採訪作業的大政方針，而八十／二十法則即可進一步幫助
採訪館員從事重點管理，積極建立起應有的核心館藏，以完成各
圖書館採訪的最終目標。故就圖書採訪之策略規劃與八十／二十
法則的應用言，二者乃是相輔相成，並行而不悖的一回事。

特魯斯威曾將「八十／二十法則」描述爲100Q/100X法則，
其公式涵義爲：

Q表示某一比例的所有作品。

X表示產生Q比例作品的作品，佔全部作者的比例。

同時「八十／二十法則」下，八十或二十這種比例，會隨外
在客觀因素而改變，換句話說，八十／二十法則可以作彈性的調
配，這種論調恰與圖書館管理中最新的權變管理理論(Continge-
ncy Management Theory) 不謀而合，玆以圖書館類型之不
同及徵集時間不同所產生的八十／二十比例變化爲例，以說明本
法則因地制宜，通權達變的特性[7]，現分別以圖6-2及圖6-3表
示之：

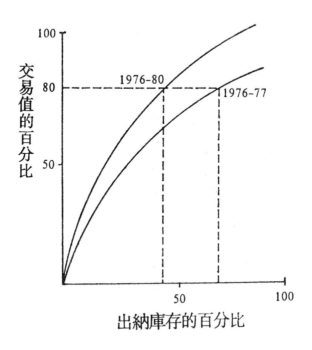

圖 6-2 時間不同，八十／二十比例之不同

從圖 6-2 及圖 6-3 中可得：八十／二十法則可以用來研究集中性的書目計量分佈，且其可在不同的時空中進行彈性運作，這足以證實八十／二十原則被圖書館學之書目計量學家繼受後內容日漸豐富化，於實務採行上亦見其生動活潑的特質。

名採訪學家沃爾費柯特（Gertrude Walfekoeter）曾云：「採訪工作有如汽車之發火栓及利車」❽。它既是圖書館系統運作的發端，且又兼扮演著追蹤、考核的機能，採訪工作除要滿足資訊消費者的需求外，亦要注意圖書經費的分配與控制，換言

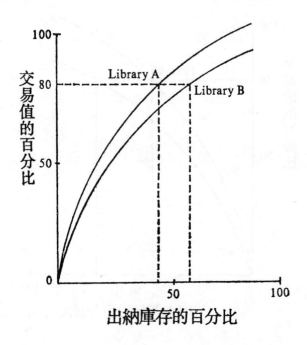

圖 6-3　圖書館不同，八十／二十比例之不同

之，採訪作業在管理程序（Management process）裏要同時
履行規劃的機能（Planning Functions）與控制的機能（Con-
trolling Functions）。今日各類型圖書館在採訪實務的推展上，
皆面臨通貨膨脹及經費緊縮兩層壓力的考驗，因之，圖書資料的
徵集似宜依據館藏發展的重點及優先購置的順序（priority），
次第展開圖書館的各式採訪活動。準此，採訪政策採行策略規劃
乃勢在必行，而以八十／二十法則掌握採訪的核心重點更殆不可
須臾緩，歸納圖書採訪政策與八十／二十法則的關係，吾人可譬

喻成：策略規劃可幫助採訪人員認定政策，而八十／二十法則則是實踐政策的一種彈性策略，二者應雙管齊下，並駕齊驅才能使採訪任務大功告成。蓋從策略管理 (Strategy Management) 的立場分析，政策與策略皆是組織目標或使命的提示，所不同者，只不過政策是剛性的，不可短時間任意妄加改變或放棄的，而策略是柔性的，它可順應環境作多元性的修正或改變，因此，將八十／二十法則視為達成圖書館採訪使命的一項有力策略 (Powerful Strategy)，亦不為過。

四、「八十／二十法則」與國立中央圖書館法律室館藏政策

央館法律室之館藏發展，原則上定位 (positioning) 於「研究級」的水準，室內收藏陳列中、美、英、日、德等國的法律書刊，其主要內容為各種法典、檢索工具書、法律參考書、專業性法律期刊、學術性專業論著等，該室的主要服務對象，包括專業法律人士（例如：律師、法官、觀護人、公證人、書記官、刑事警官等），各大學法律學系所在學學生（例如：法律研究所博士班、碩士班研究生、大學部本科生等）及教師（含教授、副教授、講師、助教）。同時在「資訊檢索」服務過程，法律室除將所有庋藏的書刊資料鍵入電腦檔中，提供一個完全採用電腦線上書目檢索的高效能服務外，並將連接館內的期刊論文索引系統、政府公報索引系統及國內已發展可供利用的法律文獻資料庫，至於國外的法律光碟資料庫等資訊檢索系統，亦是該室未來連線的重點，換言之；該室也積極為「館際合作」樹立根基，以期望我

國法律文獻之利用可進入「資源共享」的新境界❾。

　　總之，就央館法律室的館藏發展政策言，有關選書工作者的職責、選書的一般原則、收藏程度的深淺、服務對象及館際合作等項目，都朝向重點式的發展。名資訊學家坎特 (Allen Kent) 曾指出有百分之五十的資源原是爲了供應研究的需求，然從來卻無人問津，而書藏極少的一部份卻成了熱門，讀者幾乎永遠不能到手。坎氏進而建議將圖書採購分爲三部份❿：㈠決定採購（相當於A類物料）；㈡決定不採購（相當於C類物料）；㈢尚待考慮（相當於B類物料）。第三個部份，坎特稱爲「灰色的部份 (Gray Area)，只有這一部份具有不確定性。央館傾力發展重點館藏，在選書 (Selection of books) 作業過程中，經由館長的政策指示下，日文法律書籍經該館法律顧問陳怡勝律師提供意見，另汪引蘭女士提供的羅博特 (Bonita K. Robert) 所著「法律研究導引：類型及導引」(Legal Research Cuide: Patterns & Practice) 選書工具書，供購置英美法系 (Common Law) 法律文獻的憑藉，中文法律資料的徵集，更是由館長親率同仁尋訪各大法律文獻出版社採輯書刊。就其法律文獻採訪的全盤過程觀察，已近乎「八十／二十法則」的精神，基本上央館法律室的肇始，囿於人力財力的困難，在其館長領導下，經同仁們同心協力之規劃，法律室初具規模，法律文獻的採購亦漸趨完備；企盼日後可隨採訪經費的增加，於策略規劃上重行調整，使其更爲充實。

五、結　語

當代管理學巨擘彼德・杜拉克 (Peter F. Drucker)在「不接續的時代：對我們變遷社會的導引 (The Age of Discontinity: Guidelines to Our Changing Society)」一書中曾指出在一個變動的社會裏，足以影響到機構的重大改變因素有：新科技的發展與運用、世界經濟 (World Economy) 的形成、政治社會的轉變導致對於現行體系 (Existing Systems) 的不滿及知識經濟 (Knowledge Economy) 的產生等四項主要變數❶。在這些因素的衝擊下，圖書館這個以「知識」為「生產」中心要素 (Central Factor of production)的機構，早已面臨空前未有之變局，現今圖書館在資源窘迫的壓力下，如何做好策略規劃，以求變求新，尤其是採訪作業如何有效因應變革，本文所舉的「八十/二十法則」是頗值得嘗試的一種規劃模式；於法律文獻浩如瀚海的今日，央館法律室的館藏發展，正秉持著「例外管理」、「重點管理」的方針進行規劃，也惟有如此才能順應惡劣的經營環境，徹底提高採訪作業的績效 (performance)，吾人殷切寄望不僅止於「法律室」之文獻採訪，未來預定籌組的「輿地室」、「名人手稿室」也能比照這模式跟進，讓採訪作業真正步入於一個有計畫的新境界。

〔附 註〕

❶ Kathleen Coleman, "Legal Reference Work in Non-Law Libraries, A Review of the Literature," *Special Libraries* (January 1981), pp.51-58.

❷ R. Alec Mackenzie, *The Time Trap* (New York: AMA-COM, 1972),p.51.

❸ R.W. Trueswell, "Some Behavioral Patterns of Library Users: the 80/20 Rule," *Wilson Library Bulletin* 43(1969), pp. 458-461.

❹ 蔡明月,「書目計畫學」,**教育資料與圖書館學**24卷 3 期 (Spring 1987),p.264.

❺ 廖又生,「八十／二十法則與圖書館主管之例外決策」,**書府**,第11 期（民國79年 6 月）,頁9〜15。

❻ 中國圖書館學會出版委員會編,**圖書館學**(臺北：學生,民國69年), 頁206-207。

❼ Quentin L. Burrell, "The 80/20 Rule: Library Lore or Statistical Law", *Journal of Documentation* 41 (1) (March 1985), pp. 24-25.

❽ 同註**❻**,頁250。

❾ 嚴鼎忠,「籌設法律文獻參考室各項工作積極進行中」,**國立中央圖 書館館訊**12卷 3 期（民國79年 8 月）,頁42。

❿ Allen Kent. & Thomas J. Galvin, *Library Resources Sharing* (New York: Marcel Dekker, Inc., 1976),p.26.

⓫ Robert D. Stueart & John Taylor Eastlick, *Library Management* (Littlenon, Colo.: Libraries Unlimited, 1981), p.177.

〔參考書目〕

中文部份

王振鵠。**圖書選擇法**。臺北：學生，民國69年。

吳明德。**館藏發展**。臺北：漢美，民國80年。

何光國。「論館藏控制」。**中國圖書館學會會報**第35期(民國75年12月)，頁107-111。

莊健國。「中華民國法律資訊交流合作組織」。**第二次中華民國圖書館年鑑**。臺北市：國立中央圖書館，民國77年。頁143-144。

張樹三。**文書檔案管理通論**。臺北：曉園，民國79年。

國立中央圖書館。「國立中央圖書館館藏發展政策」。**國立中央圖書館館刊**新21卷第1期（民國77年6月），頁193-215。

戴國瑜。**期刊管理及利用**。增訂三版。臺北：學生，民國77年。

羅禮曼。**國立臺灣大學經濟學系、所西文館藏評鑑之研究**。國立臺灣大學圖書館學研究所，碩士論文，民國74年。

英文部份

Aveney, Brian & Heinemann, Luba. "Acquisitions and Collection Development Automation: Future Directions." *Library Hi-Tech* I (1983):45-53.

Barron, Daniel & Curran, Charles. "A Look at Community Analysis: Some Myths and Some Realities." *Public Libr-*

aries 20 (Spring 1981):29-30.

Bartle, F.R. & Brown, W.L. "Book Selection Policies for Public Libraries." *Australian Library Journal* 32 (1983):5-13.

Broadus, Robert N. *Selecting Materials for Libraries.* New York:. Wilson, 1981.

Bryant, Bonite. "The Organization Structure of Collection Development." *Library Resources and Technical Service* 31 (Apr. /June 1987):111-122.

Curley, Arthur & Broderick, Dorothy, *Building Library Collection.* 6th ed. Metuchen, N.J.:Scarecrow, 1986.

Dain, P. and M.F. Steig. ed. "Libraries and Society: Past, Present & Prospective Research and Thought," *Library Trends* 27 (Winter 1979): 221-223.

Evans, G. Edward. *Developing Library Collections.* Littleton, Colo.: Libraries Unlimited, 1979.

Gallagher, Kenneth T. *The Philosophy of Knowledge:* New York: Sheed and Ward, 1964.

Gross, Bertram M., *Organizations and Their Managing,* Glencoe, Ill.,: The Free Press, 1968.

Goodrum, Charles. A. and Dalrymple, Helen W. *The Library of Congress.* Boulder, Colo.: Westview Press, 1982.

Kaser, David. "The Ptolemaic Theory of Librarianship," *The. Oklahoma Librarian* 21 (July 1971):10-13.

Kast. Fremont E. & James. E. Rosenzweig, *Organization and Management* 4th ed., New York: McGraw-Hill Book Company, 1985.

Koontz, Harold and Cyril O'Donnell, *Principle of Management*, 4th ed., New York: McGraw-Hill Book Company, 1968.

Lancaster, F. W. *The Measurement and Evaluation of Library Services.* Washington, D.C.: Information Resources Press, 1977.

———*If You Want To Evaluate Your Library.* Champaign: Univ. of Illinois, Graduate School of Library and Information Science, 1988.

Magnuson, Barbara. "Collection Management: New Technology, New Decision." *Wilson Library Bullitin* 57 (May 1983):736-741.

Magrill, Rose Mary & Hickey, Doralyn J. *Acquisitions Management and Collection Development in Libraries.* Chicago: ALA, 1984.

Martin, Lowell, "User Studies and Library Planning." *Library Trends* 24 (Jan. 1976):483-496.

Naisbitt, J. *Megatrends: Ten Directions Transforming Our Lives.* New York: Warner Books, 1982.

Osburn, Charles B. "Planning for A University Library Policy on Collection Development." *International Library Review* 9 (1977):209-224.

Paul, Sandra K. & Nemeyer, Carol A. "Book Marketing and Selection." *Publishers Weekly* 207 (June 16,1975):42-45.

Ranganathan, S.R. *Library Book Selection.* Bombay: Asia Publishing House, 1966.

Roy, R.H., *The Administrative Process,* Baltimore: The John

Hopkins Press, 1965.

Simon, Herbert A., *Administrative Behavior: A Study of Decision Making Process in Administrative Organization.* New York: The MacMillan Company, 1957.

Soltys, Amy. "Planning and Implementing a Community Survey." *Canadian Library Journal* 42 (Oct. 1985):245-249.

Spiller, David. *Book Selection: An Introduction to Principles and Practices.* 4th ed. London: Cline Bingley, 1986.

Taylor, C. & Urquhart, N.C. *Management and Accessment of Stock Control in Academic Libraries: A Report on a Research Project.* London: British Library, 1976.

Terry, George. R., *Principles of Management.* Homewood, Ill,.: Irwin. 1961.

Thompson, Victor A., *Modern Organization,* New York: Alfred A. Knopf, Inc., 1961

Urwick, Lyndall F., *The Elements of Administration,* London: Pitman, 1943.

Young, Heartsill, ed. *The ALA Glossary of Library and Information Science.* Chicago: ALA, 1983.

Young, Peter R. & Carpenter, Kathryn Hammell. "Price Index for 1990: U.S. Periodicals." *Library Journal* 115 (Apr. 15, 1990): 50-56.

Young, Stanley, *Management: A System Analysis,* Chicago: Scott Foreman Company, 1966.

Zweizig, Douglas & Dervin, Brenda. "Public Use, Users, Uses." *Advances in Librarianship* Vol. 7. New York:

Academic Press, 1977. pp. 231-255.

Zweizig, Douglas & Rodger, Eleanor Jo. *Output Measures for Public Libraries: A Manual of Standardized Procedures.* Chicago: ALA, 1982.

第七篇

從「JIT理論」
評析出版品預行編目的功能

從「JIT理論」評析出版品預行編目的功能

一、引 言

　　從圖書館管理的立場而言，技術服務(Technical Service)是讀者服務 (Reader's Service) 的後盾，而讀者服務是技術服務的先鋒，二者共同並列為圖書館服務的兩大支柱，其彼此之間的互動關係更勾勒出圖書館組織業務單位 (Line Unit) 的各種機能；如衆所知，二十世紀末的今日，各類圖書館面對「資訊爆破 (Information explosion) 」及「出版品污染 (publication pollution)」的衝擊，負責將原料（卽未經組織及整理的圖書資料）轉換成產品的編目部門，常有生產力(productivity)低落的現象產生，此種現象當然有先天不利原因的羈絆，諸如經費短絀、員額不足及空間狹小等層層因素的掣肘，是以如何全面推動圖書館生產力運動，來求得圖書館整體經營效率的發揮，乃是現今技術服務流程中亟待解決的問題。

　　本文作者鑑於興起於 1970 年代，由美國國會圖書館 (Library of Congress) 倡導的「出版品預行編目 (Cataloging in Publication, CIP)」制度，各國實施情況良好，顯有紓解圖書館編目員不足的功效，且CIP運用得宜不但可提高圖書館的生產力，更能實現「資源共享 (Resources sharing)」的理念，

職是之故，本文擬從「科際整合（Interdisciplinary Integra-tion）」的觀點，引用生產管理學之「豐田式管理」技巧來論證CIP的效用，希望藉此可使我國圖書館事業正確使用 CIP 制度，同時妥當地將 CIP 制度納入圖書館生產線中，俾使合理有效的運用資源，創造最有價值的文化產品。

二、CIP 在圖書館製程中的功用

圖書館生產的型態屬於「連續性生產（Continuous prod-uction）」，指在圖書館之一端投入（Input）原料後，依照製造程序，經過連續不斷的加工過程，最後產品在另一端產出（output）的生產方式。具體的說，圖書資料是經「採訪（Ac-quisition）」、「分類（Classification）」、「編目（Catal-oging）」、「典藏（Storage）」、「流通（Circulation）」及「參考（Reference）」的步驟以完成管理的程序（mana-gement procedure），其中編目一項，旨在負責資料的轉換（transformation）；經由編目手續將一本書的目錄事項予以記敘，使讀者（User）能就其對於所需資料明瞭的程度，藉各種途徑而查得其需要的資料。熟悉編目作業者皆知，做好編目工作即等於順利完成了分類程序，蓋編目除前揭記敘性編目（Descr-iptive Cataloging)外，尚有主題編目(Subject Cataloging)，而主題編目可涵蓋主題標目（Subject Heading）及分類（索書號於目片左上方著錄）兩項，此豈不正意味著編目工作可包含分類作業，故作者以爲編目在圖書館生產系統（Production System)中扮演相當重要的角色，技術服務的核心活動（Core

Activity）實泰半落於編目。

但後工業社會（Post-Industrial　Society）的發展，資料的氾濫，爲害甚於洪水猛獸，加以圖書館人力不足的困擾，編目員將有被汗牛充棟的羣籍所淹沒的危險❶，所幸，危機卽是轉機，CIP 的問世足以挽救圖書館製造過程中的頹勢、重振生產力。因爲所謂的 CIP，乃是指出版者將每一出版品（主要爲圖書），在裝訂出版之前，先行送至國家圖書館，予以編目，並於該新書內某一固定位置（一般刊印於版權頁上方）印出目錄樣片的一項措施。這項措施對圖書館作業具有以下幾點功能❷：

1. 便於圖書館之選書作業。
2. 提供各圖書館分類編目之參考，亦減輕各種圖書重複編目之麻煩。
3. 圖書館可將圖書資料迅速上架，服務讀者。
4. 提高書目資料的品質。

如此，對於生產力顯然不足的中小型圖書館，其仰賴 CIP 的程度更高，一般圖書館編目人員也可就 CIP 資料稍作修正而免除原始編目（original　cataloging）的時間，提高編目效率與效能，所以就編目階段的作業流程分析，CIP 具有縮短工時、增加產量及確保品質的效用，而就其在整個製造系統中的機能，既有助於選書、編目，又便利讀者查詢、利用，CIP 幾乎可說備有聯結採、編、閱三位於一體的功能，實務界認爲它最大的貢獻在「一館編目、多館使用」，此洵非虛言❸。

CIP 的著錄項目，依國際圖書館協會聯盟(IFLA) 於1982提出的格式，主要包含書目著錄（Bibliographic Description）、

編目檢索款目 (Cataloging Access Point) 及主題檢索款目 (Subject Access Point) 三部份❹。臺灣地區目前的 CIP 著錄項目全依「中國編目規則」或「英美編目規則第二版修訂本」(AACR2, 2nd, Revised edition)，大抵符合IFLA所規定的標準。茲將央館國際標準書號中心刊印的 7.5×12.5 公分標準卡片之內容顯示如下：

國立中央圖書館出版品預行編目資料

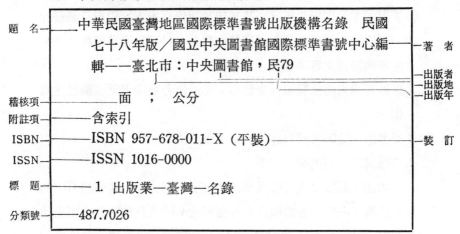

圖 7-1：我國 CIP著錄項目

CIP 的問世，雖可強化圖書館生產力，但仍不可逕行直接套用爲館藏目錄，尚須經以下處理過程：

挨諸圖7-2，足徵 CIP 的利用並不能完全取代編目作業，若將來我國 CIP的使用普及，編目單位屆時可衍變爲圖書館的「品質管制（Quality Control, Q C）」單位，以股長爲首，5-10人組成一個品管圈（Qualty Control Circle, Q C C），確

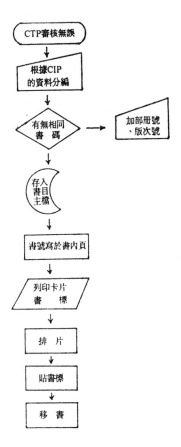

圖 7-2：CIP 處理流程

實針對 CIP 資料進行「無缺點（Zero-Defect, ZD）」運動，以求館藏目錄的品質止乎至善 ❺。果眞至此，圖書館事業便可以編目作業的 QC 為基礎，推行圖書館全面品質管制（Total Quality Control）工作❻，使圖書館產量高，產能更佳。

三、CIP 可落實 JIT 原理

CIP 對圖書館技術服務（尤其是編目員的生產力）具有不可磨滅之功，倘若央館國際標準書號中心能做好與出版的溝通事宜，讓書商提供完整詳盡的編目資料，加上假以時日央館編目作業權威檔（Authority File）建檔告成，圖書館間即可經 CIP 自動化作業系統的查詢，來消除採編部門空間狹小，典籍堆積如山的缺憾；使技術作業的轉換減少擱置時間，發揮隨進隨出、即到即辦的機能；此種功用乃是「豐田式管理」重點所在❼。

按豐田式生產管理方式是豐田汽車公司前副社長大野耐一經長年潛心研究所發展出來的生產型態，其精神重心在實踐「剛好及時（Just In Time, JIT）」理論，而JIT理念是「徹底消除浪費」，其內容主要包含❽：

1. 時間恰好

此種生產方式打破傳統的連續性生產型態，以「拉引型(pull type）」的方式求出計劃生產量，豐田汽車的製造便以「看板(Kamban)」作為連續所有製程的惟一情報工具；在作業過程，後一製程把必要的東西，在必要的時機，按必要的數量，到前一製程去領取❾。誠然，汽車製造與圖書編目對象不同，但圖書館在推行 CIP 後，已有機的聯結技術服務與讀者服務於一體，擺脫傳統直線式生產型態的老套大有可能，何況未來如出版事業試辦「需求印刷」（Demand printing），圖書館勢需以使用者導向（User-Oriented）作為館藏規劃與發展的憑藉，執此，圖書館亦有事先認識企業界行之多年且成效卓著的 JIT 理論之必要。

茲再以圖7-3表示　JIT 落實於圖書館中所產生的生產型式變化：

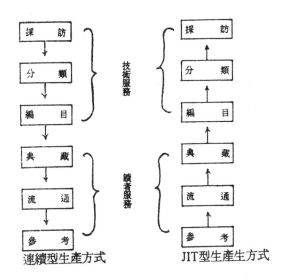

圖 7-3：圖書館管理程序的新舊方式比較

　　從圖7-3中可得，如圖書館採用　CIP 則可建立採、編、閱三位一體的模型，這樣就會產生逆向的生產製程，用讀者的需求量以作為圖書資料徵集的指標❿，前一製程只製造被後一製程領走的數量，這種「時間恰好」理念的落實，將使圖書館存貨趨近於「零」，吾人可說圖書館「零庫存（Zero-Inventory）」境界的實現，正綻開圖書館生產力璀燦的成果。至於「看板」，圖書館可以工作指令或作業通告取代之，此自不待言。

2.自働化

　　在自動化設備上，加上「人」，如機器正常運作，人可不必介入，一旦發生例外狀況，機器停止，人才前往察看，因之，一

個人可操作數部機器，工作者人數減少，生產效率反而較高。自
働化生產除提醒工作者進行例外管理（Management By Exc-
eption, MBE）外，尚賦予各部門工人，在發現不良產品時，
有自動停止生產的權利，所以在豐田式生產管理方式之下，無缺
點運動貫徹最爲澈底，不合乎產品規格的不良品幾乎等於零❶。

　　圖書館若採用 CIP，前已言之，編目員可傾心盡力於書目品
質管制作業，且技術服務人員將不會有積壓出版品的顧慮，圖
書館書目資料的品質自能提高，採、編人員也能有效投入圖書
技術作業的例外管理行列；我國圖書館自動化專家李德竹曾多次
對筆者言：「圖書館自動化最主要的問題是人的因素（Human
Factors）」。此話印證於 JIT 理論，日人將自動化一語中之
「動」字加上「人」的因素，或許卽在摒除迷信機械而走火入魔
（Machosymbol）的現象，畢竟，人是管理的主體，在圖書館
推行 CIP 之後，人力短缺的旱象解除，如能適機引進 JIT 原理
中的「自働化」制度，相信必能充份開發館員潛能，使其奮發向
上。

　　綜觀豐田式管理受產業界人士的矚目，是在1973秋世界能源
危機發生之際，各國公司受景氣循環（Business Cycle）的波
及，紛紛發生營運不靈的險象，惟獨日本豐田汽車公司運用 JIT
理論於管理實務，使豐田公司所受的衝擊最小，且能確保更多的
利益。管理界莫不視爲奇蹟。

　　諺云：「他山之石，足以攻錯。」圖書館致力推展 CIP作業
，固可提高技術服務部門的生產力，然生產力乃是投入與產出的
合理比率（O/I），瞻望未來，圖書館事業比起其他產業仍舊是

人、財兩難的程度較深，應用 CIP以維持永續性的高生產量，似乎須有一套良好的管理制度與之呼應，筆者以為日本人所開發成功的 JIT 理論，可藉CIP的施行加以落實，該法實值得圖書館事業借鏡。

　　衆所周知，JIT 理論為產業界生產管理的有力工具，這恰如CIP 是圖書館事業裏技術作業之利器。豐田公司以 JIT帶動整個機構的行政革新，筆者也殷切期盼 CIP為圖書館生產力提高帶來一線生機之餘，亦能藉其促進技術服務的革新，從而造成圖書館組織全面性的行政革新，玆以圖7-4釋明如後：

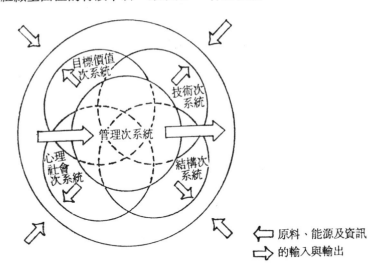

圖 7-4：技術次系統在總系統中的地位

資料來源：Fremont E Kast & James E. Rosenzweig, *Organization and Management: A Systems Approach* (N. Y.: McGraw-Hill, 1974), pp. 109-112.

從圖 7-4 分析，圖書館組織是一開放的有機體，各次級系統 (Subsystem) 間彼此相互依存、榮辱與共⑫，長久以來，技術次級系統 (Technical Subsystem) 限於人力不足、典籍浩瀚之苦，今圖書館事業採行 CIP，加上圖書館自動化力量的輔助，圖書館技術部門自能以嚴謹的態度進行品管作業；桎梏一除，技術次級系統由弱轉強、指日可待。吾人寄望未來圖書館管理可以技術革新（Technical Innovation）帶動觀念革新 (Idea Innovation)，最後塑造圖書館事業中興之新氣象。

四、結　語

法國思想家柏克 (Edmund Burke) 名言：「制度是成長的，而不是被創造的。」另我國古代淮南子一書亦云：「橘逾淮則枳。」足見一種管理制度的移植需考慮國情的配合，否則，傳貌傳形難傳神的限制，往往事與願違，施行結果與原來良法美意大相逕庭，斯不正好產生事倍功半的反效果。職此之故，筆者以為圖書館經營採藉 CIP 及 JIT 這兩種美日文化的產物，應先進行「可行性評估」，必要時可選幾個大館試行，再逐步擴大推廣之，以降低圖書館經營的風險。

總之，出版品預行編目在我國已見端倪，績效顯著⑬；剛好及時制更是風靡全球產業，在世人一片喝采及頌讚聲中，為了避免採藉過程發生絲毫誤差，作者特於上面指出國情生態的適應及配合問題，這種筆鋒急轉直下的用意，無非秉於「愛之深」之情。最後筆者謹以圖書館館員的立場預祝我國圖書館事業應用CIP 及 JIT 能順利、成功，更企盼此二制度可為我國圖書館再創新猷。

〔附　註〕

❶ 沈寶環，**圖書館學與圖書館事業**（臺北：學生，民國77年），頁147。

❷ 國立中央圖書館編印，「國際標準書號作業問答」，**國際標準書號中心通訊**，第3期（民國79年5月），頁X。

❸ 李莉茜，「CIP制度在國內推廣實施的情形」，**國立中央圖書館臺灣分館館訊**，第4期（民國80年4月），頁17-19。

❹ Thora Gislason, "CIP: how it's being used", *Canadian Library Journal* 43 (Dec. 1986), p. 415.

❺ Thomas E. Hendrick & Franklin G. Moore, *Production/ Operations Management,* 9th ed. (Homewood, Illinois: Richard D. Irwin, Inc., 1985).

❻ William J. Stevenson, *Production/Operations Management,* 2nd ed, (Homewood, Illinois: Richard D. Irwin Inc., 1986).

❼ 林耀川、成玉山合譯，**豐田生產方法與現場管理**（臺北：中華企發中心，民國70年）。

❽ 白健二等著，**生產管理**（臺北：空中大學，民國77年），頁386-387。

❾ Mikell P. Groover, *Automation, Production System, and Computer-Aided Manufacturing* (Englewood Cliffs, N. J.: prentice Hall, Inc., 1980).

❿ Arlene G. Taylor and Charles W Simpson, "Accuracy of LC Copy: that began as CIP and other LC Cataloging", *Library Resources & Technical Services* 30 (4) (Oct./Dec. 1986),pp. 375-387.

⓫ Donald W. Fogarty & Thomas R. Hoffmann, *Production*

and Inventory Management (Cincinati, Ohio: South-Western publishing Co., 1983).

⑫ Fremont E. Kast & James E. Rosenzweig, *Organization and Management: A System Approach* (N. Y.: McGraw Hill, 1974), pp. 109-112.

⑬ 江綉英,「出版品預行編目（CIP）作業之研究」臺北市立圖書館館訊,6卷3期（民國78年3月）,頁12。

〔參考書目〕

中文部份

王振鵠。「出版品編目計劃及國際標準書號制度」。**出版之友**第 6 期（民國67年 3 月），頁16-17。

吳學峰。「國內外 CIP 發展情形研究」。**圖書館學刊**第 7 期（民國67年 7 月），頁27-39。

吳明德。**館藏發展**。臺北：漢美，民國80年。

陳和琴譯。「何謂 CIP 計劃」。**教育資料科學月刊** 9 卷 2 期（民國65年 3 月），頁16-26。

陳秋帆譯。**經營組織的體制與改善**。臺北：新太，民國61年。

扈先德。**創造力與管理**。臺中：大臺中文化事業公司，民國64年。

楊美華。「合作館藏發展」。**中國圖書館學會會報**41期（民國76年12月），頁97-110。

廖又生。「從供需定律評析ISBN的行銷機能」。**中華民國臺灣地區國際標準書號中心通訊**15期（民國80年 5 月），頁 i-x。

劉漢容。**生產管理**。臺北：三民，民國68年。

盧秀菊。**圖書館規劃之研究**。臺北：學生，民國77年。

英文部份

Bryant, Philip. "The use of cataloging-in-publication in United Kingdom libraries", *Journal of Librarianship,* 15

(Jan. 1983): 1-18.

Dowell, Arlene T., "Discrepancies in CIP: How serious is the problem?", *Library Journal* 104 (Nov. 1979): 22-81.

Etzioni, Amitai. *A Comparative Analysis of Complex Organizations,* New York: The Free Press of Glencoe, 1961.

Gislason, Thora, "CIP: How it's being used", *Canadian Library Journal* 43 (Dec. 1986): 413-416.

Groorer, Mikell P. *Automation Production System, and Computer-Aided Manufacturing.* Englewood Cliffs, N. J.: Prentice Hall, Inc., 1980.

Hendrick, Thomas E. & Moore, Franklin G. *Production/Operations Management* 2nd ed, Homewood, Illinois: Richard D. Irwin Inc., 1986.

McClure, Charles R. and Reifsnyder Betsby, "Performance Measures for Corporate Information Centers." *Special Libraires* 75:3 (July 1984): 197-200.

——, "Output Measures: Myths, Realities, and Prospects," *Public Libraries* 25:1 (Spring 1986): 30-32.

Moore, Nick. "Standards Versus Performance Management." *Public Libraries* 20:4 (Winter 1981): 99-102.

Owen, Amy. "Output Measures and State Library Development Program: A National Survey." *Public Libraries* 24:3 (Fall 1985): 98-101.

Pfiffner, John M. and Sherwood, Frank. T. *Administrative Organization,* Englewood Cliffs, N. J.: Prentice-Hall, Inc., 1960.

Robinson, Charles. W. "Goals, Guidelines, and Standards for Public Libraries Committee Considers Performance Measures." *Public Libraries* 20:1 (Spring 1981): 17-18.

Rollins Thomas and Bratkovich Jerold R. "Productivity's People Factor," *Personnel Administration* (February 1988): 50-57.

Skinner, Wickham, *Manufacturing in Corporate Strategy,* New York: Wiley, 1978.

Smith, D. L., and Baxter, E. G. *College Library Administration in Colleges of Technology, Art, Commerce and Further Education.* N. Y.: Oxford Univ. Press, 196.

Steiner, George A. "Rise of the Corporate Planner." *Harvard Business Review* 48 (1970): 133-139.

Swalm, Ralph O. "Utility Theory: Insights into Risk Taking." *Harvard Business Review* 42 (November-December 1966): 123-128.

Taylor, D. W. "Decision Making and Problem Solving." in J. G. March ed., *Handbook of Organization.* Chicago: Rand. McNally: 48-86.

Turban, Efraim. *Decision Support and Expert Systems,* New York: Macmillan, 1988.

Wait, Donald J. "Productivity Measurement: A Management Accounting Challenge," *Management Accounting* 16, no. 11 (May 1980): 25.

Waterman, Robert. H. Jr., *The Renewal Factor: How the Best Get and Keep the Competitive Edge.* New York: Bantam,

1987.

Wellisch, Jean B., Ruth J. Patrick, Donald V. Black, and Carlos A. Cuadra. *The Public Library and Federal Policy.* Westport, Conn.: Greenwood Press, 1974.

Wessle, Carl J. "Deterioration of Library Materials." In *Encyclopedia of Library and Information Science.* Vol. 7. New York: Marcel Decker, 1972. pp. 64-120.

White, Lawrence J. *Is productivity stagnant in public service? Some Evidence for public Libraries.* New York: New York Univ. 1978.

――――, *The Dilemmas of Public Library.* New York: New York Univ. 1978.

Wikstrom, W. S. *Managing by-and With Objectives.* N. Y.: Nat'l Industrial Conference Board, Personnel Policy Studies, 1968.

Wilson, Ian. H. "The future of the world of work" *S. A. M. Advanced Management Journal* 20 (Autumn 1978): 21-46.

Wood, Robert., Hull, Frank., and Azumi Koya. "Evaluating Quality Circles: The American Application." *California Management Review* 26, no 1 (Fall 1983): 37-52.

Wyer, James I., Jr. *Reference Work.* Chicago: ALA, 1930.

Young, Virginia, ed. *The Library Trustee: A Practical Guidebook.* 3rd ed. New York: R. R. Bowker, 1978.

第八篇

「麥克納頓法則」
與問題讀者之服務

「麥克納頓法則」與問題讀者之服務

一、引　言

　　圖書館的讀者羣（Patron　Group）包含的範圍極廣，但一般圖書館從業人員慣將讀者區分爲一般性讀者與特殊性讀者二種，所謂一般性讀者指的是依圖書館設立宗旨及服務對象之不同所區劃（Segmentation）出的各種主要性讀者羣；而特殊性讀者則專指依讀者個別差異（Individual　Difference）特性所形成的次要性讀者羣；此處所指的「主要性」及「次要性」，乃是人數多少的比例問題，並不意謂人品高下，階級有別之歧異價值判斷。圖書館是知識的水庫、學術的銀行、人類智慧的寶藏，大抵而言，其館藏發展（Collection　Development）或讀者服務（Reader's　Service）政策皆秉持著「我爲人人，人人爲我」的社會回饋信念，是故不論是大宗的一般性讀者或者是少數的特殊性讀者，俱是圖書館館員之服務範圍，話雖如此，但在有關讀者服務的專業論著中，有論及特殊讀者羣的主題，仍舊以視力障礙之盲者、肢體殘障者及老弱不良於行者爲主要，殊不知特殊讀者團體中還有比率日漸昇高的「問題讀者（problem patrons）」存在，隨著工業化與都市化的社會潮流所帶來之負面影響，近年來國內外圖書館中所發生的刑事案件層出不窮，問題讀者的形成

已亮起圖書館內部管理之紅燈。

如何維護寧靜、舒適的閱讀空間，怎樣幫助館員與問題讀者間進行雙向溝通，甚至應以何種態度處遇（probation）問題讀者等，諸如此類問題，皆是現今圖書館讀者服務上亟待解決的問題，本文作者嘗試以諮商理論與技術中頗負盛名的「麥克納頓法則（McNaghten Rule）」來詮釋問題讀者的形成原因與特色，進而提出有效對策，以妥適解決讀者服務所碰上的這層難題。

二、問題讀者是什麼

問題讀者是圖書館進行讀者服務最費心神之一環，通常圖書館管理學家亦將問題讀者稱為「容忍性讀者（Patient Readers）」，它是指由不健全的人格發展或病態人格結構所導致的異常性讀者，簡言之，問題讀者便是心理疾病（Mental Disorder）的圖書館利用者（Users），它可包含竊盜狂（Kleptomaina）、暴露狂（Exhibitionism）、竊視狂（Voyeurism）、酒毒性精神病（Alcoholism）、精神神經症（Psychoneurosis）、妄想狂（Paranoea）、精神病（Psychosis）物戀者（Fetishism）、同性戀者（Homosexuality）等等，❶該類心理疾病讀者與已觸犯刑科之在監獄受刑者，二者雖同歸特殊性讀者，但其本質仍有所不同，基本上，圖書館對受刑人進行讀者服務時，常是由館方與法院、典獄人員進行多方協商後，由圖書館提供適當的讀物以作為受刑人之精神食糧，希望經由服刑期中汲取新知並達到「道之以德、齊之以禮，有恥且格」的獄政目標。反觀，問題讀

者羣中，除明顯觸犯刑事法令可送法究辦，將其納入受刑讀者範圍外，其處理的方式遠比受刑讀者複雜，問題讀者對圖書館來說，非以安裝圖書安全系統（Library Security System），所能加以解決，亦不能以嚴刑峻罰（繩之以法）方式收嚇阻之效，❷它牽涉到犯罪學（Criminology）、精神病理學（Psychopathology）、社會工作（Social Work）、心理衞生（Mental Hygiene）、甚至輔導心理學（Counseling Psychology）等專門學術領域中的特殊技巧。

一言以蔽之，問題讀者羣的存在，就圖書館經營者的立場而言，館方實負有幫助該類心理疾病患者的義務，以期促使問題讀者早日獲得人格重建（Personality Rehabilitation），這恰如法院設置觀護人員（Probation officer）以監護行為偏差者一般。

三、麥克納頓法則的內涵

麥克納頓法則的由來是由於公元一八四三年，有英人名麥克納頓（Daniel McNaghten）者，因受妄想（Delusion）的影響，認為當時的首相皮耳（Robert Peel）有意迫害他，乃往行刺。但卻誤殺皮耳氏的秘書。在法庭審判時，法官以兇嫌表現刺殺行為時，係受其妄想作用的影響，而實不了解其行為的意義，不應令其負刑事責任，乃判其無罪。當時羣情大譁，上議院因而進行檢討心理疾病患者刑責問題，幾經辯論，主張減刑者獲勝，並建立了所謂「麥克納頓法則」，以為心理疾病患者減刑之依據。其要點：凡是喪失理解力，不能辨別是非者，喪失意志

力，不能控制自己行爲者，均不負刑事法律責任。❸

　　麥克納頓法則對心理疾病患者觸犯刑章時樹立了一項減免的法則，這法則對目前潛伏於圖書館內之問題讀者也提供了若干則前瞻性的啓示：

㈠問題讀者的矯正保護、敎育及重建應重於懲罰

　　現代各國刑事政策，皆以防衞社會，改善犯人，進而消弭犯罪爲務。惟犯罪發生原因不一，欲求根本消弭犯罪必須探求癥結，針對特定之犯罪或犯人，分別予以適當有效之矯正措施，絕非僅賴刑罰所能奏效。❹

㈡問題讀者的矯正機構不單僅限於監獄或拘留所

　　現代社會工作理論大都主張心理疾病患者之矯正機構（Correctional Institution）應發揮多元化的功能，因之，問題讀者如施以矯正措施，縱令觸犯刑科亦不應局限於監獄、拘留所等機構，與一般刑犯接受處罰，對於問題讀者羣實須依照疾病的症狀分別安排至感化院、輔育院、醫院等接受輔導或心理治療。

㈢問題讀者觸犯刑章時應適用減免條款

　　自麥克納頓法則揭櫫以後，無論英美法系或大陸法系國家對心理疾病刑犯均設有減輕或免除其刑之規定，以我國刑法而言，特於第十二章（自第八十六條迄第九十九條止）設保安處分規定，以替代或輔助刑罰的效用，這便是當代刑事政策對特殊心理疾病刑犯放棄「以牙還牙，以眼還眼」的應報刑觀念，而另代之彈性

的預防與矯正措施，以期根本消弭犯罪。

㈣問題讀者的輔導是社會共同的責任

筆者以爲醫院裏的醫師對病患 (Patient) 需要耐心 (Patience)，正與圖書館館員需對「容忍的讀者」有耐性一樣，問題讀者旣是心理健康 (Mental health) 的缺乏者，其心理適應不良 (Mental Maladjustment) 泰半是由社會環境所形成，問題讀者羣是外在社會的縮影，對於他們的諮商與輔導，不該投以異樣的眼光，畢竟個人心理的健康是社會整體健全的根本。

四、麥克納頓法則下問題讀者之適存

問題讀者是現代化歷程必然的產物，館員應正視問題讀者所帶來的困擾，更應以積極的態度會請社會工作專家或心理輔導專家來治療問題讀者的心理疾病。名心理學家魏若伯 (L.R. Wolberg) 認爲：「心理治療 (psychotherapy) 乃是處理情緒方面問題的方式之一。受有訓練的治療者設法和病人建立一種專業性的關係，藉以消除或減輕病者的激動性症候，改變其不正常行爲方式，而增進其人格的健全生長與發展。」❺ 要獲得此目的，我國行爲科學家李長貴教授認爲要做到：❻

㈠增進病人對其本身問題和行爲的瞭解。

㈡協助病人解除其心理衝突。

㈢改變其不健全的習慣或反應方式。

㈣改變其對於自身及環境不適宜的觀念。

㈤協助病人開闢新的途徑以期獲致更有意義更豐富的生活。

問題讀者心理治療的進行，圖書館員應與病人家屬保持接觸，提供患者基本資料予以社會工作人員，簡言之，心理治療程序除館方與家屬的協助支援外，端賴治療者與病人之間能有一種友善和諧的關係，圖書館讀者服務部門對於問題讀者的情況需有所瞭解，且最好能建立完整的讀者檔案，以便可追蹤該類極為特殊的讀者，設若其已治癒，則將此問題讀者資料轉入一般性讀者資料檔，這是圖書館輔助問題讀者心理治療要注意的事項。

問題讀者又如何使其能改變對於自身，對於他人間關係，以及對於一般抽象及具體事物的態度，依諮商理論分析，其治療的方式主要有如下幾項：❼

㈠ 團體治療 (Group theraphy)

卽治療者同時接觸一小羣病人或是病人及其家屬，以推展治療工作。此種措施乃是由於第二次世界大戰時，病人增多，治療者人數有限，無法實施個別治療，乃以年紀、教育程度、所患症狀等為參考，分別成組，進行治療。可以節省人力，同時可使病人體驗團體活動經驗，在心理上獲得同伴的支持，可能有利於其病況。

㈡ 非指導式治療 (Non-directive theraphy)

此乃羅吉斯（C. Rogers）所倡導的治療方式，羅氏相信每人均有瞭解及解決其本身問題的潛在能力。治療者無須越俎代庖，為其畫策，惟須以瞭解的態度，使患者能依照其領悟情況，逐漸改變其對於其本身及其問題的態度。治療者不直接提供意見

或勸導，更不勉強對方接受某種建議，而只能用反應的方式，使病者易於發現其問題的癥結，進而學習如何建立適宜的態度與行為方式，以謀求良好的適應。羅氏旋稱此為「以當事人為中心的治療 (Client Centered therapy)」。

㈢　**行為治療** (Behavior theraphy)

這是根據行為學派的原理而來；異常的行為是由制約作用所習得的，因之應可利用反制約過程將其消除。其實施方式是使在原來引起焦慮的刺激出現時，當事者會因其他原因表現與焦慮相反的反應，因而將焦慮反應全部或局部地抑住了，久之原有刺激與焦慮之間的聯合乃逐漸減弱，於是異常行為亦將消失。

㈣　**環境治療** (Milieu theraphy)

這是改善病人的環境，使其易於適應。如將病患寄養至另一家庭，或更換病人的工作，或使病人遷移至另一地區等都是，有時社會工作者促使病人家屬改變其態度或家庭生活方式，也是具有深一層治療的涵義。

㈤　**心理戲劇** (Psychodrama)

墨連諾(J.L. Moreno)於一九二一年倡導此種治療法，他發現心理疾病患者如能給予機會將其本身的困難或問題表演出來，他的行為常有顯著的改變。表演時由某一病人擔任主角，由其他病人擔任配角；由治療者指定表演之主題，鼓勵病人真實地演出或道出心聲。心理劇的作用在使病人獲得宣洩感情的機會，進而

能領悟其本身的問題。

乍看之下，似乎心理治療的幾種方式，與圖書館館員的讀者服務沒有直接的關係。然如深入加以探討，圖書館館員、讀物和問題讀者的心理治療間，仍有互爲影響的正相關效應；此卽是說圖書館內蒐集的讀物（含書面資料與非書資料）有治療心理疾病的效果，圖書館館員如能廣收愼選優良讀物，必能經由思想的啓迪，精神的浸潤與氣質的陶冶而收到潛移默化、改變行爲的結果。圖書館學者慣以「愛書且知書」作爲專業館員（Professional Librarian）必備條件之一，準此，優秀的圖書館館員應該明白怎樣運用特殊的技巧或原則，利用書本來滿足問題讀者的需求，進而獲得治療上的具體成效，晚近圖書館學界也承認，有效地運用好的，適當的讀物，來協助問題讀者使其正常發展的可能性，此卽通稱「書籍治療法（Bibliotherapy)」它告訴我們如何利用書籍去影響人格全面性的發展，如何利用讀者與讀物之間的互動過程來進行人格的預估，促使人格成長、適應，以及臨床和心理衛生之治療。❽這種治療法在社會工作中已被運用，社會工作個案裏的「傳記治療法」便是一種典型的書籍治療，其以利用名人或與案主有相似情境的他人的傳記，引發案主仿效或自我頓悟的動力，而產生行爲上的改變，書籍治療法可稱得上是圖書館員幫助問題讀者最爲直接的一種治療方法，其亦能說是上面揭示的團體治療，非指導治療、行爲治療、環境治療及心理戲劇等治療方法外之另一新法，這種治療方法頗値圖書館界注意。

五、問題讀者正確的解決途徑

　　依我國圖書館學先進藍乾章教授所指：圖書館對於神經或精神上有障礙的民眾，其服務的方式有二、一爲與此類不幸者之治療醫院協議，先與醫師商談後，按期由圖書館選送適合病患者閱讀之書刊；一爲經與醫師商談後，對於在家療養者所需閱讀的書刊，派人送往。❾當然，這兩種對特殊讀者羣的服務方式，可作爲圖書館解決問題讀者服務工作的大方向，但針對問題讀者羣的浮現，圖書館實應採行科際整合，各專業組成團隊的治療方式，圖書館員、醫生、社會工作者，心理技師、護士及家屬等，都要結合起來，共同爲問題讀者謀求更多，更好的協助。❿

　　基於以上所言，問題讀者之解決不應採用圖書館管理理論系統中的人性本惡說（Theory X），只一味將其視爲讀者羣中的異類，以制度箝制他們（例如圖書安全系統的監視），用法令隔絕他們（例如看成受刑者地位一般），相對的；圖書館要以人性本善觀（Theory Y）來輔導這不幸的一羣，以掃除他們的情緒障礙（Emotionally Disturbed）與反社會行爲（Anti-Social Behavior）。筆者深以爲「麥克納頓法則」對於圖書館員的啓示，不僅是告訴我們問題讀者在法律上擁有阻卻違法責任的正當理由而已，該法則的提出尤應注意它的產生背景，它是提供了世人對心理病患者再定位的一則省思邏輯。圖書館員爲問題讀者之貴人，他在問題讀者的輔導事務中可扮演間接襄助的角色（如前所揭五種心理治療方式），亦可置身於直接治療者的地位（例如施行書籍治療），然不管以何立場自居，館員都應建立正確的問題讀者服務觀，做到：

㈠ 耐 心

引導問題讀者以解除他們對外來幫助的恐懼，並於日常館務外，願意和有關專業人員一起作來訂定治療計畫，同時不斷評估其改變與進展。

㈡ 愛 心

以同理心來設身處地為問題讀者著想，傾聽、接納他們的心聲或建言，以一顆喜樂的心來面對容忍性讀者。

㈢ 恒 心

「鍥而不捨，金石可鏤」，行為的治療是無法速成的，館員須以細水長流的溫和作風、理智、冷靜並客觀的對問題讀者提供建議與指導。

六、結 論

問題讀者的到臨是人類社會進步過程中隱藏的危機，也是西方國家圖書館普遍存在的文明病，現今我國圖書館事業的發展已由傳統、轉型邁向現代化的里程碑，為未雨綢繆計，似宜秉持麥克納頓法則所揭示的精神，先行為問題讀者的服務方針作一番規劃。諺云：「認定真實的問題，就是解決問題的一半」，政策導向的錯誤乃是無法以優良的行動可任意加以彌補的。問題讀者在我國圖書館館務運作中已見端倪，如何妥善有效的來處理這個問題，以圓滿達成圖書館對特殊讀者的服務，這正待業界同仁一起共同努力。

〔附　註〕

❶ Alan Jay Lincoln, *Crime in the Library:A Study of Patterns, Impact and Security* (New York: R.R. Bowker, 1984), pp. 11-22.

❷ 沈寶環，「誰說偷書不是賊—圖書館防盜工作的檢討」，**國立臺灣大學圖書館系立成廿週年紀念特刊**（民國72年12月），頁21—25。

❸ 王雲五主編，**雲五社會科學大辭典第九冊——心理學**（臺北：商務，民國60年），頁234。

❹ 楊大器，**刑法總則釋論**（臺北：自刊本，民國74年），頁427。

❺ L.R. Wolerg, *The Technique of Psychotherapy* (New York: Grune & Stratton, 1954),p.3.

❻ 李長貴，**行為科學**（臺北：中華，民國72年）。

❼ C. Rogers, *Client-Centered Therapy* (New York: Houghton & Mifflin, 1951), p.6.

❽ M. Moody & H. Limper, *Bibliotherapy: methods and materials* (Chicago: American Library Association, 1971), p.18.

❾ 藍乾章，**圖書館行政**（臺北：五南，民國71年），頁143。

❿ William C. Kvaraceus, "Can Reading Affect Delinquency?" *ALA Bullitin* (June 1965), pp.516-522.

〔參考書目〕

中文部份

沈寶環。「誰說偸書不是賊─圖書館防盜工作的檢討」。**國立臺灣大學圖書館系成立廿週年紀念特刊**（民國72年12月），頁21-25。

范豪英。**醫學圖書館學**。臺北：書棚，民國74年。

徐金芬。「圖書館標本系統與生理障礙人士」。**中國圖書館學會會報**44期（民國78年6月），頁61。

高錦雪。**圖書館哲學之研究**。臺北：書棚，民國74年。

郭麗玲。「圖書館對盲人的服務」。**教育資料科學月刊**15卷3期（民國67年9月），頁11。

雷叔雲。「機會均等與全面參與──圖書館對生理殘障人士的服務」。**中國圖書館學會會報**39期（民國75年12月），頁45-60。

蔡德輝。**犯罪學──犯罪學理論與犯罪防治**。臺北：偉成，民國76年。

劉碧如譯。**圖書館管理學**。臺北：五淵，民國75年。

藍乾章。**圖書館行政**。臺北：五南，民國71年。

英文部份

Allen, Barbara: "Bibliotherapy and the Disabled," *Drexel Library Quarterly* 16 (April 1980): 80-82.

Barlow, H.D. *Introduction to Criminology*. Boston: Little, Brown and Company, 1987.

Chapoin, F. Stuart. *Human activity patterns in the city*. New

York: John wiley and sons. 1974.

Cohen, Aaron, and Cohen Elaine. *Designing and Space Planning for Libraries.* New York: R.R. Bowker, 1979.

Davis, K. *Human Behavior at Work.* N.Y.: McGraw-Hill, 1972.

Drapkin, I. and Viano, E. eds. *Victimology.* Massachusetts: D.C. Heath. 1974.

Foskett, D.J. *Pathways for Communication: Books and Libraries in the Information Age.* London: Clive Bingley, 1984.

Green, Samuel Swett, "Personal Relations Between Librarians and Readers." *Library Journal* I (October 1876): 74-81.

Hook, Sara Anne. "Library Services for the Blind in West Germany." *Public Library Quarterly* 8 (3/4 1988): 31-43.

Lincoln, Alan Jay. *Crime in the Library: A study of patterns, Impact and Security.* New York: R.R. Bowkor, 1984.

Moody. M. & Limper, H. *Bibliotherapy: methods and materials.* Chicago: ALA, 1971.

Murphy, Michael B. "Library Services for the Disabled" *Catholic Library World* 59 (Jan./Feb. 1988): 174-185.

Needham, William L. and Johoda, Gerald, *Improving Library Service to Physically Disabled Persons.* Littleton: Libraries Unlimited, 1983.

Odescalchi, E.K. "Library Extension Services for Older Adults" *Catholic Library World* 50 (Feb. 1979): 290-291.

Olsen, H.D. "Bibliotherapy to help children solve problem." *Elementary School Journal* 75 (April 1975): 422-499.

Plotnik, A. ed. "Librarian and the teaching of reading." *Wilson Library Bulletin* 45 (Nov. 1970): 239-307.

Rogers, C. *Client-Centred Therapy.* New York: Houghton and Mifflin, 1951.

Sayles, Leonard R. & Strauss, George. *Human Behavior in Organizations.* Englewood cliffs, N.J.: Prentice-Hall. 1966.

Schauder, Donald E. "Library Services for Handicapped People," *Australian Library Journal* 29 (August 1980): 120-124.

Schubert, D. "Role of bibliotherapy in reading instruction." *Exceptional Children* 41 (April 1975): 497-499.

Shepherd, Terry and Lynn, B. "What is Bibliotherapy?" *Language Arts* 53 (1976): 569-571.

Silence, L.K. "Rising young library executive's procedure manual." *Show-Me Library* 35 (April 1984): 5-10.

Strom, Maryalls G., ed. *Library Services to the Blind and Physically Handicapped.* Metuchen, N.J.: Scarecrow, 1977.

Thome, P.G. and Willard, R.G. "The System Approach to a Unified Concept of Planning." *Aerospace Mangement,* (Fall/winter 1966): 25-44.

Velleman, Ruth A. *Serving Physically Disabled People: an Information Handbook for All Library.* New York: Bowker, 1979.

Wolerg, L.R. *The Technique of Psychotherapy.* New York Grune & Stratton, 1954.

Wright, Keith C. and Davie, Judith. F. *Library and Informa-*

tion Services for Handicapped Individuals., 2nd ed. Littleton: Libraries Unlimited, 1983.

第九篇

「科學管理定律」
與公共圖書館兒童圖書室之經營

「科學管理定律」與公共圖書館
兒童圖書室之經營

一、引　言

依美國圖書館學會（American Library Association）所訂定之「圖書館權利宣言（Library Bill of Rights）」，自由閱讀是人民的基本權利，個人使用圖書館的權利，不因其年齡大小而被否定或減縮，❶ 準此，圖書館這個公民養成場所，乃是老少咸宜、童叟皆需的民眾大學（People's University），其設立目的就是以圖書資料爲工具，藉解說與指導爲手段，來發揮有教無類的教育理想，❷ 它不僅服務的對象涵蓋社區各階層讀者，在人類的生命歷程上，更是從零開始直到永遠，今日公共圖書館服務的對象，誠可謂概括無遺、一網打盡了。❸

其中，「兒童」是圖書館經營中的小顧客，他們是人生的發端、國家未來的主人翁，我們更可從一個社會如何照顧兒童來預測它未來的前途，❹ 就資料顯示，圖書館事業對兒童讀者提供服務的組織型態不外乎有「兒童圖書館(Children's Library)」、「兒童部（Children's Department）」或「兒童服務部門(Children's Service Division, CSD)」兩種主要的建制，如衆所知，兒童讀者的服務要與成人讀者（Adult Reader）或其他類型讀者不同，兒童圖書室的經營是圖書館教育（Library

education）的基礎，也是社會教育的起點，因之，不論是獨立
建制的館或附屬設置的圖書室，有關兒童讀者服務績效的高低關
係著圖書館事業經營的成敗，這點，在朝向制度化旅程中的我國
圖書館事業尤爲重要，俗云：「往下紮根，向上成長。」我國圖
書館事業要與社區緊密結合、要和民衆打成一片；當務之急，就
是要養成民衆使用圖書館的習慣，而這種習慣的培養應從幼小開
始，惟有如此，習慣成自然，人民由小到大均以利用圖書館爲生
活不可或缺的一部份，這樣圖書館才能成爲一個名符其實的社教
機構。所以筆者認爲：兒童圖書館的經營是圖書館服務的根本，
亦是圖書館事業安身立命的磐石。

　　本文作者首先在此特別要向從事兒童圖書館理論研究的學者
以及推動實務的兒童圖書館館員 (Children's Librarian) 深表
敬意，由於他們的努力與奉獻，使我國圖書館事業生根並落實；
其次擬引用「科學管理定律 (The Principle of Scientific
Management)」來闡述兒童圖書館（室）經營之道，俾爲公
共圖書館兒童部提出一套可供參考的經營策略。

二、科學管理運動之緣起及其對圖書館的影響

　　科學管理運動 (Scientific Management Movement)
肇始於美國，其創始人泰勒 (Frederick W. Taylor, 1856-
1915) 是一位從基層管理實務經驗中脫穎而出的管理哲人；泰勒
於1856年3月20日生於美國賓州德國城 (Germantown, Penn-
sylvania)，早年遊學德、法，並遍遊歐陸，1872 年進入英費
利浦埃克塞特學院 (Phillips Exeter Academy) 就讀，爲入

學哈佛學院 (Harvard College) 作準備，後來他雖通過了入學考試，但由於害了眼疾，而被迫放棄，後來病癒之後，他便在一家小公司當學徒，於 1879 年，泰勒轉到密德威鋼鐵公司 (Midvale Steel Co.,) 擔任機器間工人，由於天資聰明、表現優異，他升遷頗快，不久便晉升到總工程師職位，同時他工作中也無法忘記學習，泰勒於此期間參加函授課程，修完史蒂文斯學院 (Stevens Institute) 機械工程學士學位。❺

　　泰勒於 1898 年轉到伯利恒鋼鐵公司 (Bethlehem Steel Co.,) 服務，從此未層離開該公司，他一系列基層管理實驗研究，都在伯利恒公司進行；泰勒重要的著作按其發表的先後，計有：❻

1. 1895年在美國機械工程師學會 (ASME) 發表的「論件計酬制 (A Piece Rate System) 」論文。

2. 1903 年於伯利恒公司任職間所發表的「工場管理 (Shop Management) 」論文。

3. 1911年於伯利恒公司任職間所發表的「科學管理原理(Principle of Scientific Management) 」專著。

　　其中兩篇論文所倡導的管理哲學，曲高和寡，並未受到當時社會的重視；直至 1910 年美國州際商業委員會中有人引泰勒的理論來反對鐵路增加運費，在此「東方費率案 (Eastern Rate Case) 」之後，泰勒學說漸露鋒芒，隔年 (1911年) 美國爆發「水城罷工案 (Watertown Strike) 」，泰勒應邀至國會特別委員會上作證，發表了極具精闢的科學管理觀，他強調科學管理的精義包含於工作人員的一項完全心理革命 (a Complete

mental revolution)，從此科學管理定律聲名大噪，泰勒「科學
管理原理」一書洛陽紙貴，它不但對美國工業工程、企業管理界
產生革命性的影響，同時也為圖書館管理理論的發展開了先河。

　　依圖書館管理學者之研究，科學管理學派（Scientific
Management)的興起具有綜合效率專家派及非管理派的機能，
❼茲以圖9-1表示之：

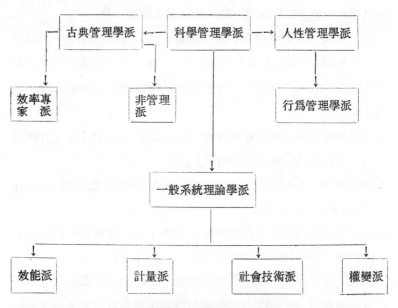

圖 9-1：科學管理學派在圖書館管理理論中的地位

Source: Alan R. Samuels and Charles R. McClure, *Strategies
for Library Administration: Concepts and Approaches*
(Littleton, Colo,: Libraries Unlimited, 1982) , p. 16.

　　揆諸圖9-1，不難發現科學管理學派的崛起，將自工業革命
(Industrial Revolution) 以來的各種圖書館管理思潮作一統

合，泰勒自己曾說：科學管理不是一套效率機械，也不是一套獎
金和紅利制度，它是涉及事業機構或某一產業員工的一種完全的
心理革命，❽ 他所倡導的「科學管理四大定律」，卽是基層管理
實務的心得結晶；前面提及，兒童讀者服務乃圖書館服務的根
基，兒童圖書館員常在圖書館基層散播書香，加上整個兒童圖書
室（館）正是圖書館事業或圖書館教育工作的基礎，秉此，吾
人於瞭解科學管理的由來之後，尚須進一步以科學管理原理來論
證兒童部門的經營管理，以便掌握泰勒學說在兒童圖書館中之意
涵。

三、科學管理四大定律與兒童讀者服務

泰勒科學管理原理 (Princpiles of Scientific Management) 一書，揭櫫了他個人的管理哲學觀，該書主要包含四項
基本定律 (Four Basic Principles)，其應用於兒童圖書室的
管理，可詮釋為如下：❾

第一定律：發展一套準確的工作程序，以使員工可用最佳方法來
執行每項工作 (The development of a true sci-
ence of management, so that, for example,
the best method for performing each task
could be determined)。

圖書館標準是一種模式，也是評鑑的尺度，可作為實施的準
則，未來發展與改進的指南，要讓兒童圖書室提供優良的服務，

就必須釐訂「兒童圖書館標準」，以作兒童圖書室館藏管理 (Co-
llection Management) 的依據；❿標準就是兒童圖書館館員
的工作規範；本此，兒童服務部門所庋藏的資料型態、人員編
制、經費預算及館舍配備自能有所依歸，兒童圖書館員也能在
「依法行政 (Administration according to law)」的前題
下，發揮自由裁量權，運用至善之法 (one best way) 來服務
兒童，務使兒童圖書室成功的完成它原定的目標，或者有效的解
決兒童讀者所提出的問題；簡言之標準化工作程序的建立，足以
使館員放棄往昔臆測或摸索的作業方式；兒童圖書館的經營在標
準或辦事細則的訂定及修正事宜，實當列為首要任務。

第二定律：科學的方法選拔員工，以使員工對工作具有責任感並
可適任 (The scientific selection of the work-
ers, so that each worker would be given
responsibility for the task for whick he or
she was best suited)。

　　兒童圖書館館員是推動兒童讀者服務工作的舵手，他亦是兒
童圖書室第一線管理者（first-line manager），依我國圖書
館學家張鼎鍾教授研究指出：兒童館員不但是圖書資料和小讀者
間的橋樑，也身兼老師、褓姆和圖書館管理員的責任。❶因此，
一位稱任的兒童圖書館館員必須具備以下幾項要件：

1. 人格特質上：基本上兒童圖書館員必須要具有親和力、喜愛兒
　童、有童心、愛心與耐心，這樣才能將心比心，縮小館員與小

讀者間認知的差距。❷

2. 表達能力上： 兒童缺乏良好的自控 能力及完整清 晰的造語能力，館員必須能以生動的口語、簡明扼要的措詞及犀利有趣的言行，爭取小讀者信任與友誼。

3. 專業技能上：該類館員必須兼備兒童圖書館學、兒童心理學及兒童文學等專業素養，同時，兒童圖書館工作充滿挑戰性，也要德、智、體、羣、美五育均衡發展的專業館員才能勝任。❸

4. 責任感發揮上：要明瞭兒童圖書館員的工作目標及職責，我國圖書館學家高錦雪教授認為：兒童圖書部門旨在有助於兒童閱讀，其可包括閱讀興趣的誘發、閱讀習慣的培養、閱讀需求的滿足與閱讀能力的指導等等❹，這恰如其分的道出兒童圖書館館員的專業職責。

如何甄選優秀的 兒童圖書館 館員 ， 使成「 務其務所（ the work-in-his-work unit)」，這是圖書館人力資源管理(HRM)的一項重要課題。

第三定律：員工之教育與發展符 合科學原則 （ The scientific education and development of the worker)。

資訊時代的 兒童圖書館必須與社 區內其他 機構團 體密切合作，以獲得資訊的交流 ， 並提供必要的協助；❺ 因此， 1986 年 IFLA 在東京舉行大會，由北歐四國大學教授聯合發表的「兒童圖書館員教育」之研究報告，其中認為兒童圖書館員之教育與訓練，必須列為圖書館教育項目之一，圖書館學系的學生須修其全

部課程的 1.4%，專攻公共圖書館的學生，兒童圖書館學必修學分所占的比例為全部學分的10%，❻ 這是兒童圖書館館員養成教育的預期目標。

然兒童圖書館管理是一項極專業性的工作，館員不但要精通教育學、圖書館學、兒童發展及學校課程等，對於兒童圖書資料的選擇、徵集、分類、編目、淘汰及補充，甚至館舍配備的佈置與安排、公共推廣服務的施展或進行，都需有一套異於其他類型圖書館的作業方式；因此，隨著時代的推移、潮流的衍變，兒童圖書館員工作技能的補充、專業新知的汲取，才能確保服務品質水準，所以兒童圖書館除選用專業館員外，還要在「求才」之後，以科學化、系統化方法來「用才」、「育才」與「留才」，簡言之；兒童圖書館館員工作繁鉅、勞心亦勞力，圖書館管理當局勢須注意兒童圖書館員的「人力發展 (Staff Development)」、「繼續教育 (Continuing Education)」及「生涯規劃 (Career Planning)」問題。

教育訓練及發展是一項經常不斷的工作，對於館員素質的改善和兒童圖書館行政效能的提昇，實有相當之助益。職是之故，兒童圖書館的經營應有縝密周詳的培訓計劃，藉以灌輸館員從業知能，並增進其服務熱誠。

第四定律：主管與部屬間親密並友善地相處 (Intimate, friendly cooperation between management and labor)。

兒童圖書館經營常標榜把兒童和圖書快樂的結合在一起 (Bringing children and books happily together)，這種書人合一的管理哲學，最近又有擴大的取向；例如英國學者雷爾 (Sheila G. Ray) 進一步提出「圖書館設備開放計劃 (Open Plan Libray Facilities)」，主張兒童圖書室應納入於整個圖書館組織之中，這樣可讓兒童變成成人後，順利轉移到成人圖書室，而不受閱覽空間隔離的影響，使兒童、成人二圖書室壁壘分明。[17] 另有貝其托 (M. Baechtold) 等主張圖書館應是一個「多度間整體環境的核心（Core of Multidimensional Whole Environment)」，其服務的對象不以年齡區隔，而應包括家庭、學校及社會等。[18] 揆其用意，無非是想建立以兒童為主、家庭為輔的服務範圍，確切地幫助兒童成功的完成人格發展及社會化過程 (the process of socialization)。

　　為了達到兒童圖書室和諧並周全的服務理想，其基礎準備工作是要使兒童圖書館員間可發揚團隊精神，除單位內上下充份體認經營目標外，人人皆以開放的心靈來進行溝通、協調，力求建立目標管理 (management by objectives, MBO)的新體制，俾能促成兒童圖書室全體成員有一股良好的默契，大家得在親密詳和的組織文化 (Organizational Culture) 裏，塑造兒童服務的新風格。

　　總之，科學管理四大定律分別代表「標準化」、「專業化」、「科學化」及「協調化」理念的追尋，兒童圖書館引用科學管理法則，似乎須將四項定律之旨趣融合於整體目標中，這樣方可形成「手段──目的連鎖 (Means-End Chain) 關係，從而增進

組織的經營效能。

四、公共圖書館兒童讀者服務活動

龍恩 (Harriet G. Long) 代表性鉅著「豐富的寶藏 (Rich the Treasure)」一書中，主張兒童圖書館服務的目標有六：[19]

1. 方便兒童利用多元化的館藏。
2. 指導兒童選擇圖書資料。
3. 培養兒童自在地享受閱讀的樂趣。
4. 培養兒童利用圖書館之習慣，並鼓勵運用館藏資源，從事終身教育。
5. 協助兒童全面發掘其潛能並使其有適應社會環境的能力。
6. 發揮兒童圖書館的功能，使之與其他兒童福利機構結合，共同發揮社教機能。

在上述六大工作目標的實踐過程中，兒童圖書室之經營者不妨可先用科學管理定律做為追求目標的策略 (Strategy)，也就是經由「標準化」、「專業化」、「科學化」及「協調化」四個利器來推動兒童讀者服務工作；有目標、有策略之後，接著就必須付諸實行；筆者認為公共圖書館兒童圖書室的經營可採行的活動如下：

1. 圖書館之旅 (Library Tour)：

以寓教於樂的方式讓兒童讀者認識圖書館，包括圖書館的環境、位置、館藏設備、人員、服務項目及推廣活動等，期望養成兒童利用圖書館的習慣，並為其開啓知識的寶庫。[20]

2. 班訪 (Class Visit)：

兒童圖書館員主動與社區小學及幼稚園聯絡，預先安排特定的時間，以便讓兒童認識圖書館服務的內涵，養成學童仰賴圖書館資源來解決問題的良好習慣，同時也敦促圖書館有計劃的對兒童施予利用指導 (Library User Instruction)。

3. 圖書館之友 (Friends of the Library)：

這是最有效也最常見的行銷方式，召募圖書館義工（Library Volunteers），成立圖書館之友，1987 年於美國，就有超過二千三百多個類似這樣的團體，它主要的目的在推廣圖書館服務。兒童圖書室可藉此作為與社區溝通的有力橋樑。[21]

4. 展覽活動 (Exhibitions)：

此為吸引兒童讀者的一個很好的途徑，其基本步驟是先引用廣告宣傳的手段吸引兒童讀者參觀展覽，其次是讓他們瞭解所有令他們感到興趣的資料館中皆有，因而開發了一羣新的使用者。

5. 事件行銷 (Event Marketing)：

有組織的活動預告是另一種主要的宣傳方式。若能將這些活動設計得細膩精緻，並能和社區讀者生活密切配合，那麼效用將更大，諸如專為父母設的托兒、伴讀課程及專為兒童設的暑期閱讀計劃 (Summer Reading Program) 等，都可以收到圖書館家庭服務的效果。

上開公共圖書館兒童服務活動，只不過舉其較爲重要者，其他凡圖書館行銷（Library Marketing）專論裏所提出的各式各樣推廣方法，都可適度加以修改而應用於兒童圖書館之經營，一言以蔽之；科學管理法則是實踐服務目標的策略，種種行銷方法又爲策略規劃下的具體行動。諺云：戰略的失敗是無法以優良的戰術來加以彌補的。吾人規劃公共圖書館兒童圖書室，實不宜忽略戰略規劃的指導功能。

五、結　語

兒童是民族的幼苗，國家的命脈，也是人類社會發展的希望，爲求國家建設的進展與民族生命的延續，世界各國對於兒童福利的增進，莫不優於其他任何措施。我國憲法第一百六十條：「六歲至十二歲之年齡兒童，一律受基本教育，免納學費，其貧苦者，由政府供給書籍。」另兒童福利法第二條：「本法所稱兒童，係指未滿十二歲之人。」等規定，皆是因應兒童福利政策所作的立法，其目的在實現「幼吾幼以及人之幼」的慈幼思想；在兒童福利法裏，更規定各種福利措施，促使兒童身心健全發展，增進每一位兒童的幸福。㉒

兒童圖書館是啓廸幼童心靈最佳的場所，亦是學童發展自我的社會化媒體（Socialize Agent）之一；兒童圖書館所提供的各種圖書及資訊，近可培養兒童閱讀的樂趣，遠程則得陶治兒童品格並幫助其自我發展，綜上所述，本文作者提出泰勒的科學管理定律來檢視公共圖書館兒童圖書室的經營問題；在管理學裏，定律與法則乃是自生活中研究歸納而得，它每每與人們生活息息

相關，科學管理之父(The father of scientific management)泰勒所締造的管理四大定律，正是他窮畢生精力所獲得的學說結晶，兒童圖書館是各型圖書館中最具基礎性的敎育機構，其經營之得失影響圖書館事業之榮枯，我國兒童圖書館將要步入廿一世紀多元社會之際，筆者深刻地領略到兒童圖書館科學管理方式的採行，不但是圖書館利用敎育的紮根工作，更是圖書館事業與社區讀者融和的原動力。最後，讓我們一起來迎接兒童圖書館管理新紀元的來臨。同時寄望經由兒童圖書館管理的革新（managing innovation）帶動圖書館事業邁向全面現代化的境界。

〔附 註〕

❶ ALA, "Library Bill of Rights", in *Reaching Young People Through Media* by Nancy Bach Pillon (Littleton, Colo.: Libraries Unlimited, 1983), p. 261.

❷ 王振鵠，圖書館學論叢 (臺北：學生，民國73年) ，頁225。

❸ 沈寶環，「公共圖書館兒童服務的新課題」，臺北市立圖書館館訊，8卷2期 (民國79年12月) ，頁1-8。

❹ 鄭雪玫，資訊時代的兒童圖書館 (臺北：學生，民國76年) ，頁7。

❺ Claude S. George, Jr., *The History of Management Thought* (Englewood Cliffs, N. J.: Prentice-Hall, 1972).

❻ Daniel A. Wren, *The Evolution of Management Thought* (New York: Wiley, 1979).

❼ Alan R. Samuels & Charles R. McClure, *Strategies for Library Administration: Concepts and Approaches* (Littleton, Colo.: Libraries Unlimited, 1982), p. 16.

❽ Frederick W. Taylor; *Scientific Management* (New York: Harper & Brothers, 1947).

❾ Edwin A. Locke, "The Ideas of Frederick W. Taylor: An Evaluation", *Academy of Management Review* 7, no. 11 (January 1982): 14-24.

❿ 方同生，「為什麼標準」，教育資料科學月刊，第6卷，第5、6期 (民國62年12月) ，頁12。

⓫ 張鼎鍾，「兒童圖書館的回顧與展望」，圖書館學刊，第6期 (民國78年11月) ，頁39-55。

⑫　史久莉，「兒童圖書館公共關係探討」，**圖書館公共關係探討**（臺北：辰益，民國80年），頁36。

⑬　Dorothy J. Anderson, "From Idealism to Realism: Library Directors and Children's Service", *Library Trend* (Winter 1987): 393-412.

⑭　高錦雪，「公共圖書館與兒童閱讀」，**臺北市立圖書館館訊**，8卷2期（民國79年12月），頁17-20。

⑮　鄭雪玫，**兒童圖書館理論／實務**（臺北：學生，民國74年）。

⑯　潘淑慧譯，「日本兒童圖書館的現狀和未來」，**臺北市立圖書館館訊**，8卷2期（民國79年12月），頁44-45。

⑰　Sheila G. Ray, *Children's Librarianship* (London: K. G. Sour. 1979), p. 12.

⑱　Marguerite Baechtold & Eleanor R. Mckinney, *Library Service For Families* (London: Library Professional Publications, 1983), pp. 14-15.

⑲　Harriet G. Long, *Rich the Treasure* (Chicago: ALA, 1953), p. 15.

⑳　臺北市立圖書館編印，**圖書館之旅手冊**（臺北：該館，民國79年）。

㉑　Sandra Seddon, "Marketing Library and Information Services". *Library Management* 11, no. 6 (1990): 35-39.

㉒　民國62年2月8日公布兒童福利法，計含五章三十個條文，可供參閱。

〔參考書目〕

中文部份

王振鵠。**兒童圖書館**。臺北：臺灣書店，民國58年。

沈寶環。「公共圖書館兒童服務的新課題」。**臺北市立圖書館館訊** 8 卷 2
　　期（民國79年12月），頁9-16。

吳茜茵。**國小兒童個人因素、利用學校圖書館情況對其課外閱讀之影響**。
　　臺北：文景，民國79年。

林美和。「兒童圖書館的利用教育」。**兒童圖書館研討會實錄**（民國72年
　　5 月），頁95-104。

林孟眞。「兒童圖書館（室）分類系統之商榷」。**兒童圖書館研討會實錄**
　　（民國72年 5 月），頁79-94。

林蓮蓉。**我國兒童圖書館利用教育之理論與實際**。臺中縣：省教育廳，民
　　國77年。

高錦雪。**兒童文學與兒童圖書館**。臺北：學藝，民國70年。

―――。「關於兒童圖書室的幾個問題――選擇、閱覽、活動等實務之我
　　見」。**臺北市立圖書館館訊** 1 卷 3 期（民國72年12月），頁4-6。

―――。「公共圖書館與兒童閱讀」。**臺北市立圖書館館訊** 8 卷 2 期（民
　　國79年12月），頁17-20。

徐道鄰譯著。**科學管理史**。臺北：華國，民國41年。

張鼎鍾。「 兒童圖書館的回顧與展望 」。**圖書館學刊** 6 期（民國 78 年11
　　月），頁39-55。

張金鑑。**行政學新論**。臺北：三民，民國71年。

張潤書。**組織行爲與管理**。臺北：五南，民國74年。

許是祥譯。**行爲科學與管理**。臺北：中華企管，民國68年。

許濱松。**論激勵管理與人力發展的有效運用**。臺北：七友，民國70年。

許璧珍。**圖書館推廣業務概論**。臺北：學生，民國79年。

陳義勝。**組織行爲**。臺北：華泰，民國69年。

曾淑賢。「臺北市立圖書館民生分館兒童室推廣活動」。**臺北市立圖書館館訊**2卷1期（民國73年9月），頁21-23。

蔣復璁。**圖書與圖書館**。臺北：中華文化出版社，民國48年。

鄭雪玫。「公共圖書館兒童服務評鑑之探討」。**圖書館學刊**5期（民國76年11月），頁51-66。

————。「美國公共圖書館的兒童服務」。**中國圖書館學會會報**32期（民國69年12月），頁37-43。

————。「公共圖書館兒童暑期活動淺探」。**臺北市立圖書館館訊**8卷2期（民國79年12月），頁9-16。

————。**兒童圖書館理論／實務**。臺北：學生，民國72年。

————。**資訊時代的兒童圖書館**。臺北：學生，民國76年。

盧荷生。「從中小學圖書館的特點論其未來發展」。**臺北市立圖書館館訊**6卷1期（民國77年9月），頁1-7。

藍乾章。「兒童圖書館經營之我見」。**臺北市立圖書館館訊**1卷3期（民國72年12月），頁2-3。

英文部份

American Library Association. *A Multimedia Approach to Children's Literature.* Chicago: ALA, 1983.

Baskin, Barbara Holland, and Harris, Karenlt. *The Special*

Children in the Library. Chicago: ALA, 1976.

Coughlin, Caroline M. "Children's Librarians: Managing in the Midst of Myths." *School Library Journal* 24 (Jan. 1978): 15-18.

Day, Serenna F. "Children's Dinner Theatre Try It, You'll Like It." *Illinois Libraries* 67 (Jan. 1985): 76-77.

Elkin, David, *The Hurried Child——Growiug Up Too Fast Too Soon.* Mass.: Addison-Wesley, 1981.

Fasick, Adele M. "Moving into the future without losing the pasts children's service in the information Age." 圖書館學與資訊科學 (民國72年10月): 168-182.

Greene, Ellin, "Early Childhood Center's Three Models." *School Library Journal* (February 1984): 21-27.

Hewitt, Jill *Toys aud Games in Libraries.* London: Library Association, 1981.

Ivy, Barbara A. "Developing Managerial Skills in Children's Librariaùs." *Library Trends* (Winter 1987): 449.

Locke, Jill, and Kimmel, Margaret. "Children of the Information Age." *Library Trends* (Winter 1987): 365-366.

Mintzberg, Henry. "The Manager's Job: Folklore and Fact." *Harvard Busiuess Review* 53 (July/August 1975): 49-51.

Packard, Vance, *Our Endangered Children, Growiug Up in a Changing World.* Boston: Little, Browrs, 1973.

Ray, Sheila G. *Children's Librarianship.* N. Y.: Clive Bingley, 1979.

Stueart, Robert D., and Eastlick, John Taylor, *Library Mana-*

gement. 2nd ed. Littleton, Colo.: Libraries Unlimited, 1981.

Sturdivant, Nan and Audley, Cathy, "Meet Me At the Library." *Wilson Library Bulletin* (April 1989): 52-54.

Van Vliet, Virginia. "The Fault Lies Not in our Stars—— The Children's Librarian as Manager." *Canadian Library Journal* 37 (Oct. 1980): 329.

Veaner, Allen B., Academic *Librarianship in a Transformational Age: Program, Politics and Personnel.* Boston: G. K. Hall, 1990.

Wilkens, L. R. C., *Supporting K-5 Reading Instruction in the School Library Media Center.* Chicago: ALA, 1984.

Young, Diana. "Output Measures for Children's Services in Wisconsin Public Libraries. "*Public Libraries* 25:1 (Spring 1986): 30-32.

第十篇

「顏色偏好定律」
與圖書館館舍環境管理

「顏色偏好定律」與圖書館館舍環境管理

一、引　言

美國圖書館學家杜威（Melvil　Dewy）有句名言：「把適當的資料在適當的時間提供給適當的讀者（To provide right book for the right reader at the right time)」，這話常被奉爲圖書館服務的基本準則，惟今日由於資訊爆炸（Information Explosion)、出版品污染（Publication Pollution)的現象日趨嚴重，圖書館乃不得不講究科學的方法，從事蒐集、整理、保存資料的工作手續，藉以達到便利讀者充份利用的最終目的，換言之，資訊時代的到臨，圖書館無不積極在技術服務（Technical Service) 及讀者服務（Reader's Service) 上力求表現、追尋完美，冀能發揮其應有的功能。

就圖書館組織與管理的立場檢視，圖書館的運作除讀者服務技術服務之外，尚有行政支援服務，三者共同組成圖書館服務的內涵，尤其在現代圖書館的事務日愈繁複，使用者（User）要求的服務水準也日愈提高。倘圖書館經營過程，在方法上、設備上、技術上及管理上，無法趕上時代，未能採摘並應用有效方法時，便難以達成其預期的功能。本文欲從公務管理（Public Management) 學立場，以分析圖書館環境管理中的色彩調配問

題，俾經由環境控制 (Environment Control) 的途徑，確保圖書館館舍自然環境的品質，從而希望締造一個良好的館舍環境，使圖書館館員及社區讀者們可共同沈浸於書香之中。

二、「顏色」在環境管理中的地位

我國圖書館行政名家范承源教授曾言：「圖書館的經營，必須透過管理的程序，才能把許多的方法滙集成爲一個整體，這中間主要仰賴著圖書館員的心力。」❶圖書館行政的推展在人（館員）、資料（書本式資料及非書資料）及實體配備（Physical Setting）的最佳組合，而除人與資料互動外，館舍建築、辦公環境等實體配備，亦足影響圖書館經營的效率與效能（Efficiency & Effectiveness），因之，圖書館辦公室管理（Office management）的良窳，對於館員工作情緒、心理、行爲等影響極大；環境管理爲圖書館辦公室管理之一環，顏色則是視的環境（Seeing environment）之主要因素，這些物理因素 (Physical factors) 對圖書館員工的心靈均具有心理的意涵 (Psychological implication)，簡言之，顏色在工作環境上有舉足輕重的力量，它與其他相關因素共同組成員工的辦公環境；玆以圖10-1表示：

依紐那（J.W. Neuner）等人的研究，組織中員工行爲與表現，受四大類工作環境因素的影響，分別列舉於下：

㈠表面環境（Surface environment）：

包括牆壁、天花板、地板、窗戶、支柱、傢俱及其他器物的

圖10-1：顏色在工作環境中之地位

資料來源：J.W. Neuner, B.L. Keeling & N.F. Kallaus, *Administrative Office Management* (N.Y.: South-Western publishing Co., 1972),p.142.

擺設等，須力求潔淨 (Cleanliness) 、和諧與美觀。

㈡**聽的環境 (Hearing environment)：**

　　應盡可能保持寧靜，減少噪音嘈雜，避免妨害聽覺，擾亂心情。

㈢**視的環境 (Seeing environment)：**

　　應重視光線的控制，使其照射在工作領域時數量足夠，品質良好，同時注意顏色調配，以使員工心情愉悅輕鬆、士氣高昂。

㈣空氣環境（Atmospheric environment）：

包涵空氣調節、溫度、濕度（humidity）、通風（Ventil-ation)的改善等，以減少員工工作疲勞、維持成員身心舒適。❷

上面四類環境因素，各包含二個主要的重點問題（例如視的環境含顏色、光線兩個主要問題，依此類推），其彼此間環節相扣、休戚相關，共同組成組織的物理環境因素，這些因素管理學者恒視爲保健因子（Hygiene Factors)，其地位猶如水、陽光、空氣對人類維生的價值一般，人們不虞匱乏時並不察覺其重要性，然一旦失去這些因子則無以維生。所以員工的工作行爲與績效表現斷不可忽略了環境因素的維護與改良；畢竟唯有心理與生理要素的動態均衡，即「心物合一」的管理思想，才能培養高生產力的快樂員工。揆諸上面錯綜複雜的工作環境因素，每一種皆會對組織成員產生或多或少的影響力，筆者於此另擇「顏色」這一因素來探討其與館舍環境的關係，其餘因素與本文論點無關，玆不贅述。

三、顏色偏好定律的啓示

色彩心理學家葛登森（Robert M. Golden）曾實證研究分析，認爲成年人比較偏愛的顏色，無論是男性或女性，將無視於倫理或文化背景的歧異，其皆能接納的顏色有藍、紅、綠、紫、橙及黃等色，這項法則幾乎可囊括人類全體的通性，葛氏稱爲「顏色偏好定律（Law of Color Preference)」❸衡諸此定律的啓示，可得知組織成員對顏色的選擇有以下兩大傾向：

㈠社會文化力量的影響

員工對顏色的選擇或偏好，常受文化（Culture）、次文化（Subculture）、社會階級（Social class）、參照團體（Reference group）、面對面團體（Face-to-face group）及家庭（Family）等許多社會層次的影響，其由外而內的關係可整理成圖10-2：

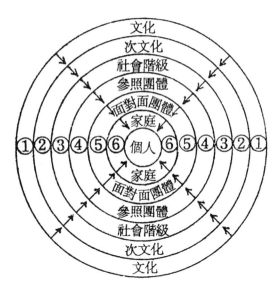

圖10-2：員工顏色偏好決定之因素

顯然人們在決定顏色偏好時，會受圖10-2裏所揭示的六種力量所影響，且愈裏層的力量決定性愈強。

㈡人類對顏色的共識

葛登森提出顏色偏好定律是依據五十多份研究報告結果爲基
礎進行檢證後而得之；大抵而言，人們所能辨識的顏色不下千百
種，但其中比較明確，比較顯著突出的原色(Primary Colors)，
卽紅、黃、綠、藍等色澤，人們較易於感知 (Perception)，所
以葛氏認爲成人們不分其性別都樂於接受原色及其他幾個主要顏
色。惟「人心不同，各如其面。」在人們對原色有共識之餘，也
呈現出大同小異的現象， 葛登森進而指出 ： 嬰兒表現出喜歡黃
色，隨其人格逐漸成熟發展，則歸趨於藍色和紅色。❹此不亦印
證出社會文化力量（參見前項）的強大。所幸，今日研究環境管
理中的色彩問題率以成年員工爲主導，卽便圖書館館舍環境的規
劃，除兒童圖書室以外，亦都以適合大衆傾向爲前題，何況就是
孩童所鍾愛的顏色雖有特定，但仍離不開原色範圍。所以就顏色
偏好定律的內涵給人們的啓示：顏色旣然涉及視的環境及表面環
境，它不僅影響組織員工的工作績效及滿足感，相對的也會讓讀
者的閱讀品味與興致產生變化。圖書館學者海亨 (Norman Hi-
gham) 言：「一所設計不佳的圖書館，不但會降低工作效率，
更妨害讀者利用。」❺ 斯爲此理。吾人於領略定律之眞締後，理
當要妥善地來進行圖書館的環境規劃，使圖書館館舍的設計，不
只是設計一棟圖書館的建築物或一套圖書館內部各室在工作聯繫
上的流程，更重要的是使圖書館館舍能落實在一個優雅高尚的環
境中，這樣才能增進圖書館員工的工作情趣。❻

四、顏色與館舍環境規劃

館舍環境規劃是否符合建築學上美感的原則，人們慣用視覺

的感受予以評價，❼ 而首先映入眼簾的色彩調配，早已成爲館舍表面環境分析的焦點，同時也是員工及讀者視覺環境的評估中心因爲顏色的調配對圖書館內部各室光線及員工視野都甚有影響，且關連著整個館的威望、員工的健康、士氣與效率。我國行政學大師張金鑑敎授在論及機關辦公室管理之顏色調配時亦主張：❽

㈠黃色、橙色、紅色爲暖色（Warm　Colors），會議室、冬季辦公室、危險物材與機械適宜採用之。

㈡藍色、紫色、墨綠色爲冷色（Cool　Colors），夏季辦公室、安全物材適用之。

　　以上二原則是我國有關政府機關選擇顏色的重要參考標準，衆所周知，除少數專門圖書館、私立公共圖書館外，我國各類型圖書館泰半被視爲公共部門（Public　Sector），館員亦被定位於相當於公務員的地位水準；因此，張金鑑敎授所提出的配色原則自能應用於圖書館辦公室環境的規劃，惟圖書館比一般行政機關更具開放系統（Open System)的特質，且其各型宗旨不同、環境互異，致在配色原理上乃不得不採行因地制宜、通權達變的方式，力求親和性（accessible）及舒適性（comfortable），使整個圖書館的 建築物與周遭環境 可維持和諧、平衡的動線關係，準此，圖書館內天花板、牆壁、地板、傢俱，各種器物的油漆顏色或地毯顏色都應經愼重選擇。聞名全球的辦公室管理專家泰利（George　R.　Terry）亦提出辦公室實體配備的顏色調配要領，玆以表10-1陳明於下，俾供業界參考：

　　表10-1泰氏所創的顏色調配準則，其基本原理乃源於原色的混合，色彩心理學家常用色輪（Color Wheel）以觀察顏色的混

表10-1：辦公室實體配備之配色

桌子顏色	灰色	灰色	胡核桃色或紅	胡核桃色或紅	光滑的金黃色	光滑的金黃色
地毯顏色	灰色	棕褐色	綠色	灰棕色	淡棕色	木炭色
牆壁顏色	白色	淡灰色	灰棕色	淡藍色	灰棕色	灰色
窗簾顏色	灰色	紅褐色	淡綠色	淡藍色	灰棕色	黃色
椅子、桌上附件、燈座等、圖畫件	紅色	黃色	深黃色	深黃色	橘黃色	桃紅色

資料來源：George L. Terry, *Office Management and Control* (Ill., Homewood : Richard D. Irwin, Inc., 1975),p.450.

合，且證實以紅、綠、藍三原色分立於一正三角形的三個頂端，彼此交互重疊可產生許多相對應的互補色（Complementary Colors），❾辦公室管理學者即沿用這種精神，在從事環境規劃之顏色調配時，將顏色視爲一種動劑（Dynamism），透過它

將人與工作生動的結合（fit）起來，此便是二十世紀末深受各組織所重視的色彩管理(Color management) 技巧。

圖書館是人們終身教育的場所，今日的讀者資訊需求 (Information Demand) 亟為迫切，相對的益使館員的工作負荷日趨加重，倘若圖書館可重視色彩設計，在館舍建築採用模組式計劃 (Modular plan) ，內部空間佈置採機關景象 (The office Landscape) 式設計，那麼自可使整個館形成一自由形式之聚集 (Free-Form Clustering) ，果可步入此境，圖書館定會變得更為有用、好用，不僅館員工作效率提昇，而且必會使讀者感到親切 (User friendly) 。❿

五、我國圖書館的顏色管理問題

我國目前各類型圖書館的經營，對顏色管理問題的規劃不甚考究，這可能的原因在於經濟拮據與館務冗繁（人力不足）兩因素，但隨國民生活素質 (Quality of Life) 的提高，各級政府逐漸寬列圖書館預算的趨勢，圖書館經營除專注於讀者與技術服務內涵外，也當注意色彩運用的技巧，前面提及，良好的色彩調配對內可促進館員的工作效率，維持組織旺盛的士氣，以達成環境控制的目的外；對外更可吸引讀者羣 (Patron group) ，依圖書館推廣策略 (Promotion strategy)，有「色誘」─原理，說明物品或器材必須有十足的引誘力，方可獲得顧客的青睞，圖書館要與廣大的社區讀者們打成一片、水乳交融，自不能以單調呆板的姿態以迎接讀者。

筆者以為圖書館顏色管理除有對內、對外兩層功用外，更具

深遠的意義在它可包裝圖書館，藉以樹立圖書館的新形象(New.
Image)，圖書館館舍內部的顏色搭配，旨在滿足館員、讀者們
的觀感，但館舍外形如經由良好適當的顏色予以包裝，則更能凸
顯圖書館與眾不同的風格；我國圖書館長期在「藏書樓」的保守
勢力籠罩下，缺乏一股青春活潑氣息，人們與圖書館間產生隔
膜，吾人於圖書館經營時，何妨在圖書館館舍上多費一點心思，
以求能用匠心獨運的手腕來調配包裝圖書館，使其變成最有魅力
的社教機構。

本文所闡述的顏色偏好定律，既然承認原色為中外人士所共
同能接受的顏色，我們當可秉持著這定律來調配與創造圖書館的
色彩，求其巧奪天工，符合國情且順應世界審美潮流，突破我國
現今圖書館「有色無情」的缺憾，重塑我國圖書館優美高貴的新
風格 (New style)。

六、結　語

「近者悅，遠者來」是行銷推廣的從業理念，圖書館的普及
已是表現一國文化水準的指標，在我國政府戮力推動文化建設的
此刻，我們不應只盲目的擴充圖書館的實體配備，而當努力的思
量館舍配備與環境間的界面（Interface）維持關係；業師范承
源教授曾提及：圖書館事業發展的成功，是理論、方法、加上館
員們的心力，以及客觀條件的良好配合所得的結果。[11]筆者對此
讜論，深表贊同，並殷企我國未來圖書館事業的發展不要錯失了
客觀環境條件的改良，唯有如此，圖書館才能在萬花筒般的繽紛
世界裏展露鋒芒，館員們專業服務亦可獲得讀者們的肯定；吾人

寄望邁向廿一世紀的我國圖書館事業可在軟、硬體上創新突破，迎頭趕上，使其能真正變成一個極具現代化規模的組織。

〔附 註〕

❶ 范承源，**圖書館行政專題研究筆記**（臺北： 臺大圖書館研究所未出版，民國74年）。

❷ 吳定，**機關管理**（臺北：華視文化，民國68年），頁39-49。

❸ Robert M. Goldenson ed., *Dictionary of Psychology & Psychiatry* (New York: Longman Inc., 1984),p.416.

❹ Ibid, p.417.

❺ Norman Highman, *The Library in the University* (Columbia : Andre Deutsch. 1980), p.10.

❻ 謝寶媛，**大學圖書館內部空間配置之研究**（臺北：漢美，民國79年），頁3。

❼ 藍乾章，**圖書館行政**（臺北：五南，民國71年），頁241。

❽ 張金鑑，**行政學典範**（臺北：作者自印，民國56年），頁384。

❾ Daniel Stokols, "Environmental Psychology" *Annual Review of Psychology* 29 (1978), p.270.

❿ 張慶仁，「邁向圖書館建築的環境設計」，**書府**，第10期（民國78年6月），頁95-108。

⓫ 同註❶。

〔參考書目〕

中文部份

王　征。**圖書館應用表格傢俱圖說**。臺中：文宗，民國59年。

尹玫君。**我國大學圖書館建築與設備之調查報告**。國立政治大學教育研究所。碩士論文，民國69年。

林　勇。**圖書館家具設備之研究**。臺北：國立臺灣師範大學工業教育學會，民國74年。

俞芹芳。**中小型公共圖書館建築設計之研究**。國立臺灣大學圖書館學研究所，碩士論文，民國72年。

Kaser, David 著，張鼎鍾譯。「近廿五年學術圖書館建築之規劃」。**圖書館學與資訊科學**12卷 2 期（民國75年10月），頁240-251。

張鼎鍾。**圖書館建築趨勢**。臺北：三民，民國79年12月。

張慶仁。「淺談圖書館的色彩設計問題」。**書府** 8 期（民國76年 6 月），頁79-85。

黃世雄。「大學圖書館今後發展的方向」。**教育資料科學月刊** 10 卷 2 期（民國67年12月），頁14-15。

鄭雪玫。「兒童室之設計與佈置」。**圖書館學刊**10期（民國70年11月），頁36-39。

劉國隆。**公共圖書館服務空間結構之研究**。國立成功大學建築研究所，碩士論文，民國73年。

謝寶煖。**大學圖書館內部空間配置之研究**。臺北：漢美，民國79年 7 月。

藍乾章。「圖書館的建築與設備的設計規劃」。**臺北市立圖書館館訊** 6 卷

2 期（民國77年12月），頁85-89。

嚴文郁。「北京大學圖書館新建築概略」。**圖書館學季刊** 9 卷 314 期（民國24年12月），頁331-334。

英文部份

American Library Association, Buildings for College and University Libraries Committee. *Planning College and University Library Building: A Select Bibliography.* Chicago: Library Administration ard Management Assn.. 1981.

Berens, Conrad, and Crouch, C. L. "Is Fluorescent Lighting Injurious To The Eyes?" *American Journal of ophthalmology,* 45(April;1958): 47-54.

Cohen, Aaron, and Cohen, Elaine. *Designing and Space planning for Libraries* New York : R.R. Bowker, 1979.

Cohen, Elaine. "Designing Libraries To Sell Services." *Wilson Library Bulletin* 55 (Nov.1980):190-195.

Draper, James, and Brook, James, *Interior Design for Libraries.* Chicago: ALA. 1979.

Eckelman, Carl F. "Evaluating The Strenth of Library chairs and Tables" *Library Technology Reports* 13(July 1977): 341-433.

Ellworth, Ralph Eugene. *Academic Library Building: A Guide to Architecture Issues and Solutions.* Boulder, Colo.: Colorado Associated University Press, 1973.

Fraley, Ruth A. and Carollee, Anderson. *Library Space Plan-*

ning : How to Assess, Allocate, and Reorganize Collections, Resources, and Physical Facilities. New York: Neal-Schuman Publishers,1985.

Galvin, Hoyt R.,ed. Planning a Library Building : The Major Steps. Chicago : ALA. 1955.

Hall, Richard B. "The Library Space Utilization Methodology." Library Journal 103 (Dec.1,1978):2379-83.

Isacco, Jeanne M. "Work Spaces, Satisfaction, And Productivity in Libraries." Library Journal 110 (May 1,1985):27-30.

Jones, H.D. "Recent Trends In West German University Library Building Planning." College & Research Libraries 42 (Sept.1981):461-69.

Kaser, David, "Planning Library Buildings." Libary Planning and Media Technology Library Workship Proceedings (Nov. 28-30,1979):53-87.

Lushington, Nolan, and Mills,Jr. Willis N.Libraries Designed for Users: A Planning Handbook. Syacuse, N.Y.: Gaylord Professional Publications, 1979.

Metcalf, Keyes. D. Planning Academic and Research Library Building. New York: McGraw-Hill, 1965.

Novak, Gloria, ed. Running out of Space-What Are the Alternatives? Chicago: ALA, 1978.

Orr,James McConnell. Designing Library Buildings for Activity. London: Deutsch, 1972.

Poole, Frazer G., ed. The Library Environment : Aspects of Interior Planning Chicago : ALA, 1965.

Rogers, R.D. and Weber, D.C. *University Library Administration*. New York : H.W. Wilson, 1971.

Schell, Hal. B. ed. *Reader on the Library Building*. Englewood, Colo. : Microcard Editions Book, 1975.

Trezza, Alphonse F. ed. *Library Buildings : Innovation for Changing Needs*. Chicago : ALA, 1972.

Vaughan, Anthony. "The Ideology of Flexibility : A Study of Recent British Academic Library Buildings." *Journal of Librarianship* (Oct.1979):277-293.

Weis, Ina J. *The Design of Library Areas and Buildings*. Monticello,Ill. : Unace Bibliographies, 1981.

Zeisel, John. *Sociology and Architectural Design*. Social Science Frontiers Series. New York : Russell Sage Foundation, 1975.

第十一篇

「器械定律」
與圖書館自動化下的管理迷失

「器械定律」與圖書館自動化下的管理迷失

一、引　言

　　筆者多年來濫竽充數於大專院校講授「圖書館管理」課程，深感圖書館組織與管理乃是一種結構與功能（Structure ＆ Function）互動的過程。組織（Organization）是靜態結構的安排，而管理（Management）卻是動態功能的運轉，這正意味著「圖書館管理」要結合軟體（Software）與硬體（Hardware），二者並駕齊驅、相輔相成才能達成圖書館組織多元化的目標。執此，吾人可深一層的認為圖書館管理風格（Managerial style）必須涵蓋科學（science）、藝術（art）與專業（professionalism）三大內涵。簡言之，進行圖書館管理依次應注意「器物層次」、「制度層次」及「行為層次」三大適應性問題，如此，圖書館才真正成為一個有生命的有機體，才能順應社會變遷而躋至組織現代化之林。

　　二十世紀末的今日，自動化風靡全球，現在人類的各種組織已步入全面自動化的時代，諸如辦公室自動化、工廠自動化、圖書館自動化（Library Automation）等不一而足；相對的，在資訊社會的衝擊下，自動化熱潮也帶來不少的管理隱憂，以圖書館言，館內的原級關係（Primary Relationship）為次級關係

(Secondary Relationship) 所取代,館員與讀者間原來面對面的溝通方式(face to face communication),現轉爲人機間的互動 (man-machine interaction),這種突然轉變常令圖書館管理者感到茫然、無奈。筆者於此引藉「器械定律(Law of Instrument)」以道破圖書館管理的陷阱,希望圖書館自動化不致引發管理退化的問題。

二、器械定律的由來與警示

「器械定律」一語爲美國芝加哥大學行爲科學家卡普蘭 (Abraham Kaplan) 所創,卡氏爲極負盛名的政治行爲學家 (Political Behavior Scientist) ,他的研究涉獵甚廣,舉凡社會學、傳播學及政策科學諸領域,皆可見其專論,卡氏亦爲一多產作家,其著作以「行爲調查:行爲科學方法論」(The Conduct of Inquiry: Methodology for Behavioral Science) 及其與傳播學者拉斯威爾 (Harold D. Lasswell) 合著的「權力與社會:政治調查的一項架構」 (Power and Society: A Framework for Political Inquiry) 二本書最爲風行;卡普蘭在一九六五年提出器械定律,用來說明人類社會發展過份重視器械的傾向,他以擁有一把小鐵錘的男孩爲例子,描繪這位小男孩因其伏恃著自己有一鐵錘,只要家裏有物品要修補,或者有任何物品故障失靈,小男孩總認爲非用鐵錘修理不可,這種技術至上的宿命觀,卡氏便用器械定律譬喩之。換言之,科技 (techno-science) 的發展與改良❶日新月異、一日千里,對人類各種組織的文化產生相當程度的波及;其並將組織塑成技術官僚 (Technocracy）專擅的局面，這些專家自視甚高、分據要津、把持要務，但卻只能適應一定的工作環境，一旦工作環境改變，他們就力不從心，無法適應新的環境。卡普蘭稱此現象為「受過訓練的無能（trained incapacity）❷而且，專業人員常養成特別的偏好、嫌惡及辨別力，易形成「知偏不知全，見樹不見林」的弊端；足見器械定律除指出人們過份迷信器械的偏頗心態外，亦道出科技掛帥下的管理隱憂。

　　器械定律一詞自問世以來，為社會科學界所津津樂道，圖書館學界人士也難以例外；圖書館學大師西拉（Jesse H. Shera）也借用卡普蘭的器械定律來描述圖書館自動化不應僅止於一方採借他方的技術而已。西拉的圖書館哲學觀在於建立以服務為中心的理論體系，他認為圖書館的功能旨在將圖書與讀者有效的予以結合❸，西氏於一九八二年逝世前也以批判的筆調來檢討圖書館事業與資訊科學間的關係，畢竟，西拉為當代著名圖書館教育學家，他洞悉圖書館經營與電腦具有體用的關係，圖書館界似乎不必過於迷信或崇拜電腦❹西拉一如卡普蘭，二人都以苦口婆心的口吻來喚醒世人勿過份倚賴器械，以免產生人役於物的不良效果。

　　我國圖書館自動化專家李德竹教授曾多次對筆者言「圖書館自動化最主要的問題是人的因素。」此話真是提絃勾要的指出我國未來圖書館自動化的歸趨，李氏更於「資訊與電腦」一文裏提到：資訊是物資和內容（Objects and Contents）之間的互動之傳遞者，而電腦只是一種機器設備，它是一種資料運算的工具（Tools）。因此，資訊絕不是電腦❺。這確切的析辨出圖書館的運作、掌握資訊遠比盲目添購電腦來得重要，該文雖無用到

「器械定律」一詞彙，但其與美國圖書館敎育大師西拉的指陳，兩者頗有異曲同工之妙。 總之 ，圖書館逢此將邁入廿一世紀之際，各館莫不深切寄望以自動化的途徑來提高其服務的量與質。而自動化過程的技術轉移所呈顯的「器械定律」（過份依靠電腦）只不過是冰山顯露於海上之尖角而已，其深藏於下的管理難題，正等待圖書館管理學者提出有效的解決良方來。

三、圖書館自動化下的管理使命

　　圖書館自動化指利用自動化與半自動化的資料處理機器來進行圖書館的採訪、編目及流通等各種業務❻。因此，圖書館要自動化乃必須運用資料處理設備以輔助館員及讀者，今日圖書館自動化所依靠的資訊技術 (Information Technology) ，誠可謂洋洋灑灑、琳瑯滿目了。據管理學者本脫萊 (Trevor J. Bentley) 之研究，自動化引用的資訊技術可涵蓋下面三項要素：❼

1. 電腦 (Computers)
2. 遠距離通訊 (Telecommunication) ❽
3. 辦公室設備 (Office Equipment)

　　當然本氏所提出的三類資訊科技要素，每一類之下尚可包括許多細目，其中較重要且著名者，諸如：電傳視訊(Videotex)、電子郵件 (Electronic Mail) 、微電腦 (Microcomputer) 、電報 (Telex) 、傳眞 (Facsimile Transfer) 、電傳會議 (Teleconferencing) 、錄影碟 (Videodisc) 、縮影軟片閱讀機 (Viewer) 、電腦輔助設計 (CAD, Computer aided design) 、電腦輔助敎學 (CAI, Computer aided instruction）……等等具體設備或措施，當它們被引進圖書館後，相對的必改變既有的作業方式，自動化進行中的圖書館需進行一連串的系統分析與設計 (System Analysis & Design)、程式撰寫 (Coding)、資料建檔 (Key-in)、程式測試 (Testing)、線上操作 (Online Operation)、系統維護作業 (Maintenance Activity) 等系統開發步驟，這都會帶來組織結構與管理制度的再調整 (Re-adjustment)，此在轉型期中的圖書館尤為明顯。我國自清末起開始移植或採借西方圖書館制度，逐漸走出傳統藏書樓的舊有形象；換言之，我國圖書館事業現在正瀕臨於從傳統走向現代的過渡時期，新舊雜陳、青黃不接的景象依然可見❾；因此，我國圖書館自動化的擴展可以說是在社會文化失調之情況下進行的，俗語說：「篳路藍縷，以啟山林」。圖書館經營者豈能不戰戰兢兢、如履薄冰般的來執行這項革命性的艱鉅工程？

圖書館自動化企圖將圖書館業務以機器（尤其指電腦）操作取代人工方式，它是圖書館破天荒式的一大轉變，圖書館也隨器械的積極運用，而產生若干異於往常的變化，茲扼要縷析如下：

㈠ **組織結構的改變**

器械（特別是電腦）對於圖書館組織結構可能產生的影響有：
1. 規模較大的圖書館組織可能再度走向集權化的趨勢。
2. 程式設計或系統開發人員勢力崛起，他們可望升到高階管理階層。
3. 圖書館作業階層因需要處理大批資料將產生許多新的職位。

㈠ 人員心態的改變

圖書館全面機械化的結果，與其有關的角色也醞釀出下面幾種態度：

1. 抵制變遷 (Resistance to Change) 的傾向：館內人員保守心態的作祟，使成員存有頑固的刻板觀念(Stereotype)。

2. 大量失業的恐慌：未具備資訊科技應用能力的館員有朝不保夕的驚懼感受，他們害怕成為自動化的犧牲品。

3. 讀者心理的沮喪：面對非人稱化（Impersonal）的機器，讀者頓時有茫然不知所從的感覺。

從圖書館自動化過程所引發的負面功能來看，器械雖然為今日圖書館事業變遷的根本動力，但其得否運作靈光，尚須一套良好的制度來加以管理及規劃；另外，圖書館既以滿足讀者資訊需求為目標，自動化下的各個圖書館也需社會大眾在行為層次 (Behavioal Level) 與之密切配合。準此，圖書館對社會大眾也負有教導的責任，俾使館方不致自絕於人寰之外。一言以蔽之，管理的主題在「人」，並非在「物」，圖書館自動化下的經營策略是人役物而非人聽命於物的管理。所以，圖書館自動化下的管理階層 (Managerial Level) 最重要的職責乃在有效調和「器物」、「制度」和「行為」三個層次的難題，使圖書館自動化的進行，可將這三個層次的問題畢其功於一役的納入考慮，以免導致圖書館組織失調、內部脫序現象 (anomie) 頻仍的窘境。筆者以為圖書館自動化下的管理革新並不是一件零星工事（Piece meal Engineering），管理者必須以「系統規劃（System

Planning)」的眼光來正視體制更新（Innovation）的問題，故不揣淺陋，謹擬管理革新芻議十則臚列於下，以供參考：

1. 確立圖書館爲一典型的非營利性組織（Non-Profit Organization）的地位，其不但是典藏、閱覽圖書資源的場所，它更是滿足讀者資訊需求的學習中心。

2. 圖書館既是服務性組織（Service Organization），讀者就是顧客，圖書館應採行非企業行銷策略，以充份實踐其社會責任（Social Responsibility）。

3. 善用圖書館人力資源（Human Resources），使專業館員及計算機專業人員相輔相成、密切配合。

4. 在自動化進行過程中，圖書館面對新 舊制度並存的 轉型期（Transitional Period），須用圖書館組織發展（Organizational Development）策略來教育館員，以改變成員的態度與觀念，進而全面提高圖書館工作士氣及服務精神。

5. 圖書館組織結構雖因自動化走向集權化（Centralize），可經有效的組織設計（Organizational Design）來緩和官僚化的氣息。例如採行分化（Departmentalization）、授權（Delegation）等原則。

6. 技術的衝擊，圖書館應設法採用適應性的組織結構，例如可以自由形式的組織結構（free-form organization）或有機組織結構（Organic Organization）之形式問世。

7. 圖書館處於動盪 多變的環境裏， 爲適應突發或 意外性的事件，應酌採專案式組織（Project organization）或矩陣結構（Matrix Structure），以有效解決面對的管理問題。

8. 資訊技術大量引入圖書館後，需考慮資源共享（Resource Sharings）理念的實現，無論在區域網路的規劃或連線，都要建立良好的館際合作（interlibrary cooperation）關係。

9. 自動化科技的引用，要進行人機界面的技術分析，含人體工學（Ergonomics），人性工程（Human Engineering）的研究，使館員作業與機器運作得以貼切配合。

10. 生產力（Productivity）高低的衡量，圖書館自動化後，每一作業步驟皆趨於具體化，應以成本效益（Cost-Benefit Analysis）方法來評鑑其產能之良窳。

以上揭示的十則管理革新方案，皆是舉其犖犖大者，這十項建議與美國當代圖書館管理名學者司圖亞特（Robert D. Stueart）所提出的圖書館組織與管理所應考慮的四大變數旨趣相同，為了參照方便，茲以司氏理論為主，依序扼要比較如下：❿

1. 方向（Direction）：相當筆者芻議1、2項。

2. 人物（People）：相當於筆者芻議第3、4兩項。

3. 結構（Structure）：見筆者所提方案第5、6、7項。

4. 技術（Technology）：見筆者所提方案第8、9、10項。

從圖書館自動化的趨勢論圖書館組織與管理，仍舊無法脫離「結構」（例如：司圖亞特變數第3、4兩項，筆者建議第5至10項皆屬之）與「功能」（例如：司圖亞特所指出之變數第1、2兩項，筆者所提方案第1到第4項等）兩大導向，此刻各館如火如荼的醉心於推展自動化工作，常見「硬體」充實、「軟體」貧乏的缺憾。吾人於領略「器械定律」的告誡之餘，實應矯正主

客倒置的管理偏差,正本清源的確立以主體(方向及人物)領導客體(結構及技術)的管理邏輯,那麼,圖書館方可早日完成自動化的浩大工程。

四、器械定律與管理通才

全面受器械定律支配的圖書館,必然形成專家領導的態勢,雖然資訊科技昌行的今日,專家成為時代的寵兒,無可諱言的,圖書館自動化過程可能延請一些科技專家進行系統測試與維護,但其主要職掌乃是負責有關技術性支援工作,果真圖書館全面倚畀科技專家領導,則可能產生以下三項流弊:

1. 專家思考模式受器械定律影響,易生知偏不知全、見樹不見林的狹隘格局。

2. 專家常孤芳自賞,與旁人難以合作,其決策模式常與現實脫節而不自知。

3. 專家間亦堅持己見、孤立自持,只求利用專門技術從事實際工作,組織內本位主義(Suboptimization)的缺憾自然表露無遺了。

基於以上觀點,科技專家很難擺脫器械定律的魔掌,圖書館自動化下的領導精英不可用「受過訓練的無能」之專家充當;尤其我國圖書館在社會轉型期中實施自動化,亟需精明能幹、慎謀能斷的優秀主管來掌舵與導航,這樣,圖書館才能藉自動化的進行,順利達到現代化的彼岸。所以,自動化帶來的茫然與迷失,須管理通才(Administrative generalist)來化解,所謂管理通才乃指概念性技能(Conceptual Skill)優於技術性技能

(Technical Skill) 的人，其思想平衡、見識廣博、心胸坦蕩，以勝任 (Competence) 及成就 (Achieivement) 自我期許，他足可補救專家的偏頗，是圖書館自動化下的管理精英。在美國圖書館學校多數開設行政管理課程以積極培育管理通才的趨勢，亦足供我國圖書館教育發展所取法。⓫畢竟，管理通才是「培養」而非「製造」的，對於通才的培養爲我國圖書館教育急待進行的一件大事。

五、結　語

對於資訊科技無遠弗屆的傳播力量，的確可爲人類帶來莫大的進步與便利，但尺有所短、寸有所長，技術的衝擊也爲人類文明帶來無可避免的惡果。以圖書館事業發展的趨勢而論，自動化旣是一項無法廻避的事實，圖書館界甚至將「圖書館自動化」與「圖書館革命 (Library Revolution)」視爲同義詞，那麼；如何以最少的破壞來成就最大的建設，端賴圖書館管理技能的發揮；卡普蘭氏提出的器械定律對於爲自動化而自動化的圖書館，實有十足的警惕作用。

〔附　註〕

❶　Abraham Kaplan, "The Age of the Symbol-A Philosophy of Library Education", *The Intellectual Foundations of Library Education* (Chicago: Univ. of Chicago Press, 1965),pp. 15-16.

❷　Abraham Kaplan, *The conduct of Inquiry:Metodology for Behavioral Science* (Chicago: Univ. of Chicago Press, 1964).

❸　Jesse H. Shera, *Introduction to Library Science* (Littleton, Colo.: Libraries Unlimited, 1976).

❹　Jesse H. Shera, "Librarianship and Information Science", *The Study of Information: Interdisciplianry Messages* (New York: John Wiley & Sons, 1983), pp. 379-383.

❺　李德竹，「資訊與電腦」，**書府**10期（民國78年6月），頁8-9。

❻　Encyclopedia of Lidrary & Information Science, Vol. 14, S.V. "Library Automation," by John N. Depew.

❼　Trevor J. Bentley, *The Managemeent Service Handbook* (London: Holt, Rinehart & Winston, 1984), pp. 204-205.

❽　李德竹，**圖書館學與資訊科學字彙**（臺北：漢美，民國74年），頁285。

❾　廖又生，**圖書館組織與管理析論**（臺北：天一，民國78年），頁5-15。

❿　Robert D. Stueart and John T. Eastlick, *Library Management* (Littleton, Colo. :Libraries Unlimited, 1981), p. 178.

⓫　王振鵠，**圖書館學論叢**（臺北：學生，民國73年），頁484。

〔參考書目〕

中文部份

何　揚。**圖書館自動化作業及發展史研究**。私立中國文化大學史學研究所
　　圖書文物組，碩士論文，民國70年。

高錦雪。**圖書館哲學之研究**。臺北：書棚，民國74年。

───。「由圖書館哲學觀點管窺自動化作業之歸趨」。**臺北市立圖書館
　　館訊**4卷1期（民國75年9月），頁7-9。

黃世雄。「淡江大學圖書館自動化之現況與展望」。**國立中央圖書館館刊**
　　新15卷1、2期（民國71年12月），頁56-63。

───。「資訊社會與圖書館」。**教育資料與圖書館學**21卷1期（民國72
　　年9月），頁86-91。

楊美華。**大學圖書館之經營理念**。臺北：學生，民國78年。

楊建樵、胡歐蘭等撰。**圖書資訊網研究計劃報告**。臺北：行政院文化建設
　　委員會，民國73年。

劉春銀。**圖書館資訊系統之探討**。臺北：學生，民國74年。

蔡明月。**線上資訊檢索─理論與應用**。臺北：學生，民國80年。

鄭吉男。**公共圖書館的經營管理**。臺北：文史哲，民國77年。

盧荷生。「論文化中心圖書館之經營」。**圖書館學刊**15期（民國75年6月
　　），頁5-10。

英文部份

Allen,, Louis A. *The Management Profession*, N.Y.: McGraw

Hill, 1964,

Beals, Ralph A. "The Librarian as Antholosist," *D.C. Library* 12 (January 1941): 20.

Bloomberg, Mary and Evans, G.E. *Introduction to Technical Services for Library Technician,* 4th ed, Litteton Colo,: Libraries Unlimited, 1981.

Carnovsky, Leon, and Winger, Howad, *The Medium-Sized Public Library: Its Status and Future.* Chicago: Univ. of Chicago Press, 1963.

Coughlin, Robert E., Taieb, Francoise. and Stevens, Benjamin H. *Urban Analysis for Branch Library System Planing.* Westport. Conn. Greenwood Press, 1972.

Dehncke, Nancy, "Full Text Business News: Panacea or Problem" in *Proceeding of the 8th National Online Meeting,* NewYork, May 5-7, 1987. pp. 77-88.

Draper, James. *Interior Design for Libraries.* Chicago: American Library Association, 1979.

England, George W. "The Manager and His Values: A Five Country Comparative Study." *Columbia Journal of World Business,* 13(Summer 1978): 35-44.

Fulmer, Robert M. *The New Management* N.Y. : MacMillan, 1978.

Kaplan, Abraham. *The Conduct of Inquiry.* San Francisco: chandler, 1964.

Kent, Allen, Cohen, Jacob. and. Montgomery Leon, K, eds. "The Economics of Academic Libraries," *Library Trends*

28 (Swumer 1979): 3-120.

Lee, Te-chu, *Library Automation & Information Science: A Collection of Essays.* Taipei: Sino-American Publishing Co., 1985.

Meadows, D.H. et al, *The Limits to Growth: A Report for the Club of Rome's Project on the Predicament of Mankind.* N.Y.: The New American Library, Inc., 1974.

Mesarovic, M. & Pestel, E. *Mankind at the Turning Point* N.Y.: The New American Library, 1972.

Odiorne, George S. *Management by Objectives* N.Y.: Pitman, 1965.

Prke, Donald L. & North, Haper Q. "Probes of the Technological Future." *Harvard Business Review,* 47 (May-June. 1969): 68-82.

Quinn, James B "Technological Forcasting." *Harvard Business Review* (March-April 1967): 111-130.

Sheppard, H. & Herrick, N *Where Have All the Robots Gone?.* N.Y.: The Fress Press, 1972.

Reynolds, Michael M. *Reader in the Academic Liarary.* Washington D.C. Microcard. 1971.

Wang. Chen-Ku. "Libraries and Librarianship in Taiwan, R.O.C." In *Proceedings of the 1980 Library Development Seminar,* Taipei , R.O.C., Dec. 1-7, 1980. pp. 292-98.

Webb, T.D. *Reorganization in the Public Library.* Phoenix, Ariz.: Oryx press, 1985.

William, M.E. "Online Problem-Research Today, Solution

Tomorrow". *Journal of American Society for Information Science* 3:4 (April),1977. pp. 14-16.

Wills, Gordon, and Oldman, Christine, eds, *Developing the Librarian as a Manager.* West Yorkshire, England: MCB Books, 1975

Yngve, Victor H. "Stoic Influences in Librarianship: A Critique", *Journal of Library History, Philosophy and Comparative Librarianship* 16 (Winter 1981): 88-99.

圖書館組織管理

第十二篇

「芝麻綠豆定律」
與圖書館管理中之羣組決策

「芝麻綠豆定律」與圖書館管理中之羣組決策

一、引　言

　　管理學者慣於以參與決策人數的多寡將決策區分爲：「個人決策（Individual　decision）」與「羣組決策（Group decision）」；前者以首長制組織（Single　head　system）爲主，後者則以委員會組織（Board form or Committee system）爲代表。論者進而常以羣組決策（卽委員會）具有集思廣益、分工合作、自主主權及權力防腐等優點來肯定其功能。筆者亦贊同這種看法，然組織設計有其正功能（Eufunctions），相對的也必會附帶的產生反功能（Dysfunctions），鑑於圖書館組織中運用羣組決策的機會良多，同時各類型圖書館裏均有委員會組織的設立，以幫助圖書館長策劃經營之大政方針，爲使這些羣組決策的基本單位可發揮它應有的正功能，筆者欲藉此引證「芝麻綠豆定律（Law　of　Triviality）」的警誡，用以減少委員會組織的弊端，俾能提昇圖書館經營之效率與效能（Efficiency　& Effectiveness），從而促進我國圖書館事業全面邁向現代化。

二、芝麻綠豆定律的由來

　　「芝麻綠豆定律」爲帕京生定律（Parkinson's　Law）之

一，原提出者帕京生 (C. Northcote Parkinson, 1909-) 爲英國之作家兼史學家，1935年獲得歷史學博士學位，曾於英國境內幾所學校任教，1950年後執教於南洋新加坡大學。帕氏於二次大戰間擔任英國陸軍參謀時即對組織官僚體系進行診斷與批判，其文筆輕快活潑、所持見解異於常人，尤擅長於以戲謔口吻發表小品文章，1957年發表「帕京生定律及關於管理的其他研究 (Parkinson's Law and other studies in administration)」一專集 (世人簡稱「帕京生定律」)、1958年著有「政治思想的演變 (The evolution of political thought)」，其後陸續也寫了許多有關歷史的專著。不過就與圖書館管理關連最大者仍是「帕京生定律」這本小册子，該定律涵蓋專論十篇，均是在勾劃組織經營的病象，本文所舉之「芝麻綠豆定律」爲帕京生定律裏最爲聞名的一個定律，它是專爲委員會組織的運作不當來進行檢討與辨證❶。

三、芝麻綠豆定律的內涵

帕京生曾親自觀察美國田納西州州議會的表決實況，他發現有關分配 $10,000,000 美元的預算於一項原子反應爐之極爲重要的議案，不到數分鐘便在會議中獲得通過；反之，一筆$2,350美元的預算欲興建一個腳踏車棚，以供同仁停放車輛的議題，卻遭委員會諸公熱烈討論。這種小事大家都懂，所以發言盈庭，喋喋不休，而大事大伙不明瞭，於是閉口啞言、噤若寒蟬的現象，帕京生稱其作「芝麻綠豆定律」，切確的說，是指：「委員會開會的時間，恰與議題的重要性成反比❷」。

若芝麻綠豆定律靈驗的話，那麼管理者便不得不省思委員會制度的議事效率問題了。就決策理論而言，「羣組決策」與「個別決策」相對，二者利弊互見、功能互為消長，委員會既然容易釀成「會而不議、議而不決、決而不行」的弊病，顯而可見的，委員會無下列幾項正功能：

1. 事權集中，責任明確。
2. 指揮靈敏，行動迅速。
3. 隱密行事，確保軍機。
4. 減少摩擦，降低衝突。

揆諸委員會的缺失，浪費時間、委屈折中及缺乏個人的行動乃是它最常見的通病，是故管理學者常以「駱駝者，委員會諸公所共同設計之駿馬也。」來描繪委員會制成事不足之弱點。帕京生所揭示的芝麻綠豆定律，不但點出委員會對議程中各議案討論時間的多寡，與牽涉的金額高低成反比的現象，真正可貴的是芝麻綠豆定律像一顆微鏡般，可用以透視委員會組織設計的毛病。

四、圖書館羣組決策之迷失

放眼觀看各類型圖書館率皆有委員會組織的設置，以輔助館長確定選書及徵集之館藏發展政策、預算及經費分配事宜、協調與溝通圖書館與讀者間的意見、研議重要興革事項、策劃圖書館業務的發展方向等等；此種組織方式又可大別為兩種類型：

（一）臨時性任務編組 (Task force)

乃基於團隊管理 (Team management) 的精神，採用專

案組織（Project organization）設計，最常用的是爲某一特定目的而組成的委員會，這樣的委員會，在分析了某一問題情勢或者完成了某一研究課題後，就提出其建議，委員會本身旋即隨之解散。一言以蔽之，臨時性任務編組式之委員會最大特色在：目的達成、組織裁撤、人員歸建。圖書館組織中應用任務編組的時機，例如：籌劃特定館藏、對讀者舉辦聽證會（Public hearings）、國際性會議的籌備、年度預算經費之分配等，皆是它適用任務編組之實例。

(二) **常設委員會**（Standing committee）

　　一般組織法將其訂明爲永久性組織，稱其爲"Commission"，它的地位猶如組織中的部門（Department）一般，但所不同於部門者在於它具有顧問的性質，是機關首長的企劃幕僚單位（Staff unit），大體而言，圖書館內常設的圖書館發展委員會、選書委員會、顧問羣等皆可歸爲此類。

　　不管臨時性或常設性委員會制度的建立，均本於「二總是大於一」的邏輯，欲經由羣策羣力、腦力激盪的集體思考，以求得切中時弊的方案，其立意不可謂不好，但從委員會組成份子的背景、本身規模的大小及議事過程的迂緩，皆大大減低了它原有的功能。茲分別分析如下：

(一) **組成份子的背景**（Background）

　　爲發揮圖書館委員會預期的功能，應依政策議程（Policy agenda）的本質來遴選委員會之成員，使其最能具有代表性。

然現今圖書館委員會之建制，往往不盡符合「廣收慎選」的原則，常受制人情，妄加延攬，導致委員會成員背景過份複雜、觀感呈現歧異，而無法謀求相當程度的共識。眾所盡知，圖書館學是一門專業（Professionalism），有關圖書館運作上專門性問題之研討，似宜精挑細選其參與份子，這樣才能提昇羣組決策之議事品質。晚近圖書館學研究方法中異常重視「德爾費法（Delphi method)」，企圖運用專家集體智慧來預測未來技術之發展，這種趨勢頗值得圖書館界加以引用。

㈡ 組織規模（Size）的大小

圖書館委員會組織規模如無法預先加以釐訂，繼則各界大肆推薦人選，倘若館方照單全收，任其滋長，那麼將出現委員會規模膨脹的現象。著實而言，委員會肥大症是一種華而不實的舉動，乍看之下，組織龐大、規模壯觀，仔細端詳，則濫竽充數、敗絮其中。圖書館組織的委員會一如其他機構之委員會，也同樣深受組織肥大症之戕害，除議事過程常目睹眾說紛紜、莫衷一是、各是其是、各非其非的現象外，問題討論亦見羣龍無首、一盤散沙的局面，流弊所及，將弄得委員會形同虛設、名存實亡，與其原先用意恰好背道而馳。畢竟，委員會不是一個類似廟會的散漫團體。圖書館哲學上既然寄望未來的圖書館應將是一個精巧玲瓏的小館，而放棄了二十世紀的大館思想觀，為順應圖書館學思潮的衍變，館內之委員會組織也應適時調整為一效用（Utility）極高的小團體（Small group）。

㈢ **決策過程 (Decision-making process) 的品質：**

俗諺：「三個臭皮匠，勝過一個諸葛亮」，羣組決策宗旨原在補救個人決策「智者千慮，必有一失」的缺憾，仰賴委員會內袞袞諸公，人人開發腦礦 (Brain-mines) ，集腋成裘、衆志成城，以構定最好的決策備選方案；然而由於委員會份子背景複雜，規模過大，往往會造成議程中之冗長辯論 (Filibuster) ，抵銷了委員會原有的功能，例如圖書館對於專業取向之政策構定，其間要是夾雜酬庸性質的非專業人員 (Non-professional members) 問題，則將更可能使委員會流於櫥窗上裝飾品 (Window dressing) 的地位，因非專業人員缺乏專業理念，只知一味盲從附和，抱殘守缺，對於無關痛癢的小事便議論鋒發，暢談高論，而面臨重大的非例行性決策 (Unprogrammed decision) 問題則縮首畏尾，這樣一來，豈不是正好落入「芝麻綠豆定律」的窠臼了❸。

上面提及圖書館內委員會組織所存在的組成份子複雜、規模過於龐大與 決策過程緩慢 等三項癥結問題 ，乃是互為惡性循環 (Vicious cycle) ，以致形成委員會運作績效不彰的後果。名社會心理學家詹尼士 (Irving Janis) 曾提出「羣體迷失 (Groupthink) 」理論，認為羣組決策範圍狹窄 ，通常限於討論一些有可能性的選擇，而不考慮較多潛在的可能性選擇，且團體一旦已做成決定，它就不再重新檢驗，反正就是大家照做就算了，即使它顯示出潛在的危險性時也是一樣，團體成員對於與團體立場相反的事實和意見，通常都會被蓄意忽略，而與團體立場一致

的訊息,則深受羣體的歡迎❹。這種羣體迷失的刻板觀念,亦發現於圖書館委員會組織之運作中,由於一般人相信「人多好辦事」的觀念,反而疏忽了委員會在冗長反覆的爭辯過程裏,早已劃地自牢,無法超脫既有思考模式的束縛,至此,羣組決策便無法把個人的資力與他人的資力組合起來,以形成一個新的整體力量。依詹尼士的調查發現,羣組決策所做的決定要比個人決策所做的決定較富冒險性。君不見,我國中央決策機構裏,負責審議法案之立法院,近日常為人所詬病者乃在議事效率的低落,立法院(委員制)決策品質遠遜於行政院院會(首長制),使吾人不得不聯想到「太多的廚師反而會煮壞一鍋湯」的警世良言,這實在是圖書館界在使用羣組決策時當惕勵自省的地方。

五、圖書館委員會的有效運用之道

帕京生定律曾提到:工作將被伸張,以便添滿可供完成工作的時間 (Work tends to expand to fill the time available),為了提高圖書館委員會的效用,名管理學家霍吉斯 (R.M. Hodgetts) 曾提供若干準則,以求匡濟羣組決策的缺點,茲縷列如下❺:

1. 委員會必須目標明確。

2. 委員會必須審慎選定組成人選,俾能實至名歸,以達成委員會的目標。

3. 委員會的大小務必求其確當,一方面使其得以進行討論;一方面也期能獲得健康的反對,而免形成尾大不掉之局。

4. 有關討論及分析的主題,應作成一項議題,事先送達各委

員，俾人人都能有所準備，可立即展開討論。

　　5.身為主席者，需具有鼓勵大家積極參與的能力，且能保持團隊朝向目標推進。

　　常言：「時間就是金錢」。如能照著上面五項準則以補正委員會的缺失，自可預防落入其「會而不議、議而不決、決而不行」的陷阱，擺脫「芝麻綠豆定律」的羈絆，而全面提昇圖書館羣組決策的績效。吾人以為要挽救圖書館委員會的危機，除改進其議事效率外，正本清源之道，實須考慮羣組決策的影響因素及其適用時機，這樣才能將委員會組織的效用充分發揮，現僅就以上所提二因，簡要說明如下：

㈠　影響羣組決策的因素❻

　　1.團體本身心胸開放或閉塞的程度。

　　2.團體是否具有協同一致性。

　　3.團體內地位體系是否會阻礙人員間的交互作用行為。

　　4.個人目標與團體目標的關係。

㈡　羣組決策適用的場合

　　1.問題本身重要性的大小：若問題本身重要性大，則採團體決策；反之，則用個人決策。

　　2.問題專業性程度的大小：專業程度高者採團體決策，低者則用個人決策。

　　3.問題是否有前例可尋：通常例行性的程式化決策（Programmed　decision）常採個人決策，非例行性決策則用團體決

策。

4.問題本身的開放或閉塞：通常問題開放程度較大者，牽連層面廣泛，宜用團體決策；反之，可用個人決策。

今日委員會組織在圖書館界利用日漸普遍之際，要能妥善運用委員會以解決圖書館所面對的諸多問題，似宜採取標本兼治的途徑，不但要從外部表象加以改善，尤須著手分析委員會組織背後所隱藏的決定性因素，並注重它應用的時機，如此才可釜底抽薪的解決委員會組織的一切難題。

六、結　語

我國明代大政治家張居正有云：「天下之事，慮之貴詳，行之貴力；謀在於衆，斷在於獨。」足見委員會制度存在的價值乃毋庸置疑，它顯然可作為輔佐機關首長之智囊團，經由委員會詳密的籌劃、集體的努力，必能使政策方案完整而成熟。就現今我國各型圖書館處於人力，財力不足的逆境下，若可充分運用委員會之長處，發揮羣組決策的正功能，而矯正其瑕疵，如此便能克服溝通不良、協調不佳的弊病 ❼，袪除「芝麻綠豆定律」的陰影，使我國圖書館組織之委員會再見曙光。

〔附 註〕

❶ C. Northcote Parkinson, *Parkinson's law and other studies in administration* (Boston: Houghton Mifflin Co., 1957).

❷ 潘煥昆、崔寶瑛合譯，**帕京生定律：組織病態之研究**（臺北：中華企管發展中心，民國72年）。

❸ 廖又生，**圖書館組織與管理析論**（臺北：天一，民國78年），頁 22-23。

❹ Irving Janis, "Groupthink". *Psychology Today* 5 (November 1971), pp.43-46.

❺ 許是祥譯，**企業管理**（臺北：中華企管發展中心，民國70年），頁185-188。

❻ 姜占魁，**行政學**（臺北：五南，民國69年），頁276-286。

❼ C. Northcote Parkinson & N. Rowe, *Communicate-Parkinsion's formula for business survival* (New Jersey: Prentice-Hall Inc, 1977), preface.

〔參考書目〕

中文部份

王雲五。**現代公務管理**。臺北：中華文化出版事業委員會，民國43年。

李仁芳。**管理心靈**。臺北：商略，民國79年。

范承源。「美國大學圖書館經費短絀與其主要因應的方法」。**美國研究**16
　　卷 4 期（民國75年12月），頁95-113。

高錦雪。**圖書館哲學之研究**。臺北：書棚，民國74年。

潘煥昆，崔寶瑛合譯。**帕京生定律──組織病態之研究**，臺北：中華企業
　　管理發展中心，民國72年。

盧荷生。「澄清圖書館行政上的幾個觀念」。**臺北市立圖書館館訊** 3 卷 1
　　期（民國74年 9 月），頁10-13。

薩孟武。**孟武隨筆**。臺北：三民，民國62年。

藍乾章。「試論我國圖書館的建制」。**研考月刊**97期（民國74年 3 月），
　　頁12-22。

嚴愈政譯。**彼德原理**。臺北：人人，民國62年。

英文部份

Butler, Pierce. *An Introduction to Library Science.* Chicago:
　　Univ. of Chicago press; 1933.

Derr, Richard T. "The integration of theory and practice
　　in professional program." *Journal of Education for Libr-
　　arianship* 23 (Winter 1983): 193-206

Follett, Mary parker. *Dynamic Administration.* N. Y.: Harper,

1942.

Gouldner, Alvin W. *Pattern of Industrial Bureaucracy.* N. Y.: The Free Press of Glencoe, 1954.

Gulick, Luther & Urwick, Lyndall F. *Papers on the Science of Administration* N. Y.: Institute of Public Administration, 1937.

Janis, Irving. *Victims of Group Think.* Boston: Houghton Mifflin, 1972.

Koontz, Harold. "The Management Theory Jungle" *Academy of Management Journal* 4 (1961): 174-188.

Marco, Guy A. "Old Wine in New Bottles", *Ohio Library Association Bulletin* 35 (October 1966): 8-14.

Mittal, R. L. *Library Administration: Theory and practice.* 3rd. India: Metropolitan Book Co., 1973.

Newman William H. & E. Kirby Warren. *The Process of Management: Concept, Behavior and Practice* 4th (ed.), Englewood Cliffs. N. J.: Prentice-Hall, 1977.

Parkinson, C. Northcote, *Parkinson's Law and other studies in administration* Boston: Houghton Mifflin Co., 1957.

Parkinson, C. Northcote & Rowe, N. *Communicate-Parkinson's formula for business survival.* Englewood Cliffs. N. J.: Prentice-Hall Inc., 1977.

Prentice, Ann E. *Public Library Finance.* Chicago: ALA, 1977.

Rice, Betty. *Public Relations for Public Libraries: Creative Problem Solving.* New York: H. W. Wilson, 1972.

Robert H. Rohlf, "Management, Library" in *The ALA Year-*

book *1977 Edition* Chicago: ALA, 1977.

Rudy, Michelle "Equity and Governance Patterns," *Library Trends* 27 (Fall 1977): 185.

Simon, Herbert A. *The New Science of Managerial Decision.* N. Y.: Harper & Row, 1960.

Steiner, George A. *Top Management Planning.* N. Y.: Macmillan, 1969.

Tauber, Maurice F., ed. *Library Binding Manual.* Boston: Library Binding Institute, 1972.

Tees, M. H., "Is it possible to educate librarian as managers ?" *Argus,* 12 (January/February, 1983):3-9.

———, "Is it possible to educate librarian as managers?" *Special Libraries,* 75 (July, 1984): 173-182.

Weingand, D. E. ed., *Women and Library Management: Theory, Skills and Values* C. N. Y.: Pierian Press, 1982.

White, Robert L. *Advances in library Administration and Organization* Greenwich, Conn.: JAI Press, 1982.

———, *Issues in library management: a reader for the professional librarian* White Plains, N. Y.: Knowledge Industry Publication, Inc., 1984.

———, "Public Library directors organize in New York State," *Library Journal,* 109 (January, 1984): 20-30.

Withers, F. N. *Standards for Library Service: An International Survey* Paris: The UNESCO Press, 1974.

Whyte, William, *Organizational Behavior.* Homewood Ill.: Richard D. Irwin Dorsey Dress, 1969.

第十三篇

「經驗法則」
與圖書館員創造力思考之培養

「經驗法則」與圖書館員創造力思考之培養

一、引　言

　　筆者充任大專院校教席講授「圖書館管理」多年間，印象最深的是每當授課進度一到計量學派 (Quantitative Approach) 這一章節時，天眞活潑的學生們頓時像是墜入五里雲霧中，顯得格外緊張與不自然，此正和聆聽行爲科學派 (Behavioral Approach) 時的神情截然不同，諺云：「山窮水盡疑無路，柳暗花明又一村」，迨筆者簡明扼要分析各種重要的計量決策工具與程序後，輔之以「計質思考 (Qualitative Thinking)」法來幫助莘莘學子們，突破學習瓶頸，發現學生們的學習情趣再度獲得增強，在計量法與計質法交互應用、雙管齊下的學習過程中，又見這羣準館員們 (Quasi-Librarians)，重拾信心、氣宇軒昂的綻開笑顏，此幅栩栩如生的學習畫面，誠令筆者永遠縈繞心懷。

　　如衆所知，計量決策工具以分析作業研究（Operations Research，簡稱O.R.)諸種技巧在圖書館規劃(Library Planning)上的應用，偏重數學模式的構建及解析，是以歸屬文學院圖書館系的學生們演練起來較爲吃重，另計質方法則屬創造力思考 (Creativity-Thinking) 的範疇，它是挖掘館員「腦礦 (Brain-Mines) 」的有效方法，據筆者的教學經驗，一旦學習者對

計量模式產生學習高原 (Learning Plateau) 狀態時，計質思考法可引導其突破 (breakthrough) 困厄，重新由高原邁向學習的巔峯；筆者於此謹就「經驗法則 (Rules of Thumb)」這一種直覺規劃 (Intuitive Planning) 方法來闡述館員創造力思考的培養問題，藉以超越數量方法而能便捷解決圖書館經營所面臨的許多問題。

二、「經驗法則」是什麼？

「經驗法則 (Rules of Thumb)」亦稱嘗試錯誤法 (Trial and Error)，它對問題的解決本質上是仰賴於個人經驗的累積、主觀的價值判斷、直覺式的預測，再加上參酌別人的意見，而最後得出解決問題的方案。因之，經驗法則下的問題解決 (Problem-Solving)，管理學者慣稱啓發性規劃 (Heuristic Programming)，它對於結構化程度較低的問題，助益甚大。❶即令以圖書經營實務言，倘若面對的問題太大且過於複雜，讓決策者無法統攝變數間的因果關係；或者碰到的問題太散慢、零碎，作業研究裏的計量方法無所用其技時，均可考慮從嘗試錯誤中發現某些規劃的規則，此爲啓發性規劃法不注重數字量化而卻能與計量決策方法分庭抗禮的主因。❷

最近，經驗法則的思考模式廣泛地應用於各行各業，茲先舉一二例以釋明經驗法則的實作要領，俾可對圖書館員的創造力思考產生激盪的功效：

㈠霍吉特 (R. M. Hodgett's) 於管理學中所引之例：❸（個案 1）

某市鎮忽然發生了傳染病。當地的十二家醫院，都忙著打電話到鄰近的一家製藥廠，要求立卽送到某一種血清；通常這種血清，製造時需要三個星期。幸而此時該廠尚有相當數量的存貨。血清以玻璃瓶包裝，共有十二包；該廠儘快地將血清送到運輸課去。可是這時候情況已經十分緊急，各醫院如果在一個小時內得不到血清的話，病人便將有危險了。正好在運輸課課長將血清送交給送貨卡車的時候，他接到血清的包裝部門一個電話，說是其中某一包少裝了五英嘅血清。包裝部門刻正派人將短少的數量送了過來；於是運輸課長便得利用這段很短的時間，找出來究竟是那一包短少。他只有兩分鐘的時間可用，而且他手中唯一的一項工具，只是一座天平。請問，這位運輸課長該怎樣才能找出那短少的一包呢？

其實這問題有許多解決辦法。一個辦法是在天平的兩端，每端放上六包。某一端如有短少，自然可以立刻找出來。因此，運輸課長只需要從六包中間去找了。他再在天平兩端每端各放上三包，有問題的包裝便只剩下三包了。現在，問題比較難了，他只有時間再稱量一次，他應該怎樣稱這三包呢？其實說來很簡單，他只要在三包中任意取出兩包，在天平上每端各放一包，如果某一端較輕，他便找出了短少的一包了。反之，如果天平仍然平衡，那有問題的便是那剩下的未稱的一包了。

㈡筆者自擬圖書館管理個案舉隅：（個案２）

某國立圖書館擬於十二月一日開始啟用法律資料室，其準備蒐藏的法律資料大抵皆在預定的時日完成作業手續，惟獨一千册該室核心館藏（Core　Collections），在國內外書商運送遲延

下，於十一月廿三日始送達該館，在採訪組主任會同總務、會計部門驗收後，正式進入採錄程序，採訪館員立即進行登錄、蓋戳、鍵檔等技術性處理；就圖書館作業程序而言，採訪、分類、編目、典藏、閱覽、流通及參考乃是連貫性的工作，後階段的工作緊密銜接於前一階段；採訪書車未推向編目部門，編目組就出現「停工待料」的空檔狀態，眼見著只剩五天法律室就要揭幕了；當採訪組館員將登錄完畢的五百五十冊書用書車運送到編目組之際，編目組主任便急忙向該館員表示完成一千冊書的編目有困難此時，正好採訪組主任約同閱覽組主任走向編目組主任辦公室這邊來，編目組主任碰見此二主管，也向其傾吐有限時間內完成千冊圖書編目的困難，三人偕同步入編目主任室進行協商，閱覽組主任建議先行派員赴採、編二組黏貼防盜磁帶，採訪組主任亦贊同選派人員支援編目，編目組主任則立刻下達簡易編目(Simply Cataloging) 指令，並成立編目臨時任務編組，挑選優秀編目員進行無缺點式 (Zero-Defects, Z.D) 的編目，同時採編二部門員工皆進行夜間加班，就在這三部門負責人共同達成的幾項協議中：閱覽組得以在採、編二部門進行貼磁帶工作，採訪人員得邊採錄邊送編，允許編目員趕不及完成編目的書，可以暫行用新到館圖書名義展示。採訪組在三個工作天中完成採錄工作，閱覽組則利用二天做完貼防盜磁帶工作，令人感到意外的是編目員竟在十一月卅日下午將所有的書完成編目。

　　從本例裏，可看出法律室得順利開幕的幾項理由，首先在於三部門主管的協議，打破藩籬，摒棄傳統直線化的作業，採化整為零、分頭進行的工作法有利於效率的提昇；其次，在採編二部

員工連袂趕工下加速技術處理的進行，另外，編目組臨時任務小組的組成，精選編目員施以無缺點計劃，同時允許必要時可以「新書展示」方式陳列，此也減輕編目員心理壓力。就在三部門主管正確的決策判斷下，神奇地達成了這項艱鉅的使命。

　　除了以上二例外，中外故事或寓言裏，亦不乏以經驗法則來進行結構不良問題（Ill-Structured Problem）之解決者，諸如伊索寓言中的「聰明的烏鴉」、我國先賢中有曹冲稱象、文彥博灌水取球、司馬光破缸救友、包拯斷案及禪宗公案等膾炙人口的故事，皆是典型的啓發性規劃，他們均超越了作業研究的範疇，不以數學方法，而以嘗試錯誤的方式來解決問題，據霍吉特的統計、經驗法則與其他各項 OR 的工具比較起來，稱得上是管理人員在日常決策上使用最多的一項決策工具。分析其原由，主要在於時間急迫、事件突然，決策者惟有以經驗法則來從事非程式化的決策（Unprogrammed Decision-Making）。是故筆者在講授圖書館管理一課，論及各種決策工具時，特別要說明其使用的時機，且作業研究與啓發式規劃等量齊觀，相提並論，主要用意便在啓發研習者的心智，讓他們不但要相機行事，更要能窮極思變，俾可全面提昇這羣準館員們的決策能力。

三、「經驗法則」與創造力思考之培養

　　沈師寶環認爲目前圖書館事業正遭受到四面楚歌的困擾：卽資訊爆破、經濟萎縮、費用增加及系統不靈等困境❹，因之，圖書館學界亦不遺餘力的從事規劃模式的研究，企盼可彰顯圖書館的功能，例如一九三八年美國圖書館學大師焦克爾（C. B. Joeckel) 首倡圖書館管理科學之研究，❺繼則在一九七〇年代麻省理工學院（MIT）教授莫斯（Philip Morse）、西母斯大學 (Simmons College) 圖書館學與資訊科學研究院副院長劉陳欽智（我國旅美學人）等人皆分別從事用作業研究方法以解決圖書館業務問題，一時計量決策方法的研究變為顯學，作業研究可幫助館員從事每日決策（Everyday Decision Making Process）❻，成為一不爭的事實。

觀諸品類龐雜、流派歧多的計量決策技術羣裏，率皆透過邏輯運算、數理推演、電腦模擬等途徑加以觀察變數間的因果關係，因為它經由數字來勾勒現象，數字基本上是一個符號（Singal），較為客觀、定性而不會人言言殊。❼故作業研究方法在程式化決策（Programmed Decision）問題的解決上不失為一種強勁有力的優勢工具，惟館員在日常館務的參與過程，常會面臨一些重大、突發性的事件，此時如能引用管理科學(Management Science) 方法，套用模式求解，自屬上策，倘模式解決技術 (Model Solving Techniques)無以為功時，則不妨考量可否引用經驗法則以幫助規劃，諺云：「認定真實的問題為解決問題的一半」。吾人從事問題解決（Problem-Solving）研究時，不管最後採用什麼解決方法（計質抑或計量），其過程畢竟仍是經驗法則的實踐，這正是決策理論肯定人們從事價值抉擇 (Value-Choice) 的寫照。

綜觀上述，經驗法則的運用既不可豁免，那麼究應採用什麼方法以培養館員解決問題的靈感？筆者認為可從館員創造力開發的途徑著手，藉此讓館員可洞察問題的根因（Root Cause），

以便能對症下藥，而收藥到病除的效果。

依管理學學理，以參與決策人數的多寡慣將決策分爲「個人決策 (Individual Decision)」與「羣組決策 (Group Decision)」二類，沿此分類，筆者亦將創造力的開發分爲個人與團體兩部份分別介紹如下：

㈠ **個人創造力開發的途徑**

根據前臺大商學研究所所長陳定國博士指出：創造力的來源爲廣深的專業知識及工作常識，其具體性的出現，則約可遵循以下五個步驟進行：❽

1. 「專精貫注」 (Saturation)：
   對於某一特定問題，充份了解其來龍去脈。
2. 「深思熟慮」 (Deliberation)：
   各種構思，從各角度反覆檢討分析。
3. 「孵化靜待」 (Incubation)：
   稍安勿燥，使潛意識 (Subconscious Mind) 發揮作用。
4. 「頓悟明途」 (Illumination)：
   豁然開朗突然出現嶄新概念，呈現有利景象。
5. 「研磨涵納」 (Accommodation)：
   澄清該嶄新概念之眞正適合性，或作必要之修正適應，並將之明確書寫下來，徵求他人所反應之意見，而定最後對策之形狀。

基本上這種未來創造力尋找法，仍是以過去經驗爲根基，靠著館員本身的直覺感受或者以往的閱歷所作的一種推測；從教育

學觀點而言，嘗試錯誤經驗就是一種學習的過程，創造活動本身，在性質上就是一種對象化、客觀化和明確化的工作，準此，圖書館員唯有從多讀書中獲得啓發、多交遊中獲得陶融，這樣才能集思廣益、增廣見聞，以便貼切允當的運用「經驗法則」來從事創造力之思考。

㈡　團體創造力開發的途徑

經由某種有組織的羣體經驗，可以刺激個人產生更大的創造性想像力；是以許多機構紛紛採用羣體合作的方法來培養員工的創造力，其中較爲有名者有二：❾

1. 腦力激盪法 (Brainstorming)

於一九六三年由奧斯本（Alex Osborn）提出，其原意是用來描述人們互相激盪構想（Ideas）以解決問題之自由想像行爲，它是一種用來創造構想的集會，企圖用腦力（Brain）來轟擊（Storm）問題，使其迎刃而解。通常施以本法前會先組織一個爲數不超過十人的腦力激盪小組（Brainstorming Group），在佈置高雅、氣氛輕鬆、設備齊全、激人遐想的會議室內進行大約一小時的充份討論。奧氏並提出本法進行參與者必須遵守不可妄加批評、讓心靈自由自在馳騁翱翔、構想製造多多益善及尋覓構想的組合及改善等四項原則。

2. 作業創造術 (Operational Creativity)

另稱逐步激盪術(Synetics)，此法爲一九六五年高登（William Gordon）在亞色地力特（Arthur D. Little）公司擔任顧問時所提倡，其主要在補救腦力激盪法的缺失，本法採用瘋狂

方法 (Method in the Madness) ，延長會議時間，以避免掛一漏萬、驟下結論。高氏亦提出會議的五個指導要則：❿

(1)遞延 (Deferment) ：卽先尋找觀點而非解答 ，把解答之構想遞延以後再提出。

(2)客觀自主 (Autonomy of Object) ：卽讓問題本身有自己的生命，不必太限制它是否被討論。

(3)利用共同點 (Use of the Commonplace) ：儘量利用熟悉事物以作爲邁向陌生事物的跳板。

(4)若卽若離 (Involvement/Detachment) ：在進入問題之特定部份，及脫離特定部份間徘徊，以便觀察它的整個全貌。

(5)利用隱喻 (Use of Metaphor) ：使用很明顯地不相關及偶然的事件，來暗示類似事件，以產生新觀點。

除腦力激盪術、作業創造術外；創造心理學家亦提出特性縷列術 (Attribute Listing) ，主張將某一物品的特徵列出，然後逐一加以檢討修飾，以便求得另一組新的特性組合，來改良該產品；另有強迫關係術 (Forced Relationships) ，其要點係將許多不同的產品項目排列出來，然後考慮彼此之間的關係，作爲刺激構想產生過程的工具；再如結構分析術 (Morphological Analysis) ，是將一問題的最重要結構層面列出來，然後審查彼此間的排列組合關係，進而自由聯想每一種組合的優劣狀況等。凡此種種創造力培養法，皆是刺激人們動腦思考解決問題的良好途徑，以圖書館組織而言，專業館員在專業訓練 (Professionalism) 及旣有人生經驗的基礎上，適時施以創造力思考演練，必能促進其大腦細胞的熱絡與活躍，使之成爲問題解決高手，一旦

圖書館有例外管理 (management by exception) 狀況發生時，得從容應用經驗法則以克服所面對的棘手難題。

蘇東坡於西林壁題：「橫看成嶺側成峯，遠近高低各不同，不識廬山眞面目，只緣身在此山中。」館員處理各式各樣的圖書館問題時，雖置身於問題中，但仍需以客觀超然的立場，跳出窠臼，配合權變管理 (Contingency Management) 理念，充份利用創造力思考，有效從事啓發性的規劃，這樣才能眞正體驗「見山是山，見水是水」的意境，亦卽方可釜底抽薪的將難題予以解決。

四、「經驗法則」下的管理方法

管理顧問常以專業立場替企業組織進行診斷，其地位猶如醫生診察病人症狀一般，所以管理學者習慣以「企業醫生 (Business Doctor)，形容管理顧問的角色功能，同理；在圖書館管理的研習過程裏，我們也希望圖書館規劃理論與基本技巧得應用於圖書館實務問題的解決。所以；筆者於講授啓發性規劃時，常寄望大四同學們每人可以圖書館醫生(Library Doctor) 自居，善用大腦、研究創新，確實持經驗法則解決圖書館管理的問題，因爲，經驗法則的沿用也可配合各式管理方法來調整，使其事業機能（Business Functions）與管理機能（Management Functions）融於一體，達到「羣策羣力，以竟事功」的目標。茲就幾種主要的管理方法分別說明如下：

㈠ **急就章管理** (Management by Improvisation)

本法另稱卽席管理，係指不依一定原理原則或事前計劃進行系統管理，而是憑決策者之機智與經驗，或者直覺判斷，因時、因地、因事、因人，作適當的決定以化解問題。例如個案一中運輸課長所做的決策便屬之。

㈡　**危機管理** (Management by Crises)

組織常因悶聞抱怨、沿襲舊規、濫用資源及思想僵化等原因，發生業務失控的危機，一時使組織陷入緊急狀態(Emergency State)，此時決策者卽須以創新構想作緊急處分，俾能化險爲夷、轉危爲安。例如企業營運不靈，投資者決定進行改組或重整等卽是。

㈢　**自由式經營管理** (Free Form Management)

首倡運用此一管理思想者爲美國赫塞蘭製油公司（Ashaland Oil Refinding Company），本法的基本精神，在於從事不拘形式且富有高度適應性的各項經營管理，盡量擺脫過去死板章則和管制的枷鎖或者巧立名目不切實際的頭銜，使組織經營可與急劇的環境變化配合，適應時代的需要。簡言之，本管理方法勢須借助於經驗法則以作最後判斷。本文所舉個案二各主管攜手並肩、打破建制以完成法律室開幕計劃便是圖書館採行自由式管理之示例。

㈣　**目標管理** (Management by Objectives)

MBO 在圖書館管理上的應用極爲普編，基本上目標管理是

一種動態的體系，旨在設法將組織所要達成的目標與個人需求加以整合，所以它是一種能滿足需求、提供報償的管理型態。⓫前面提及團體創造力開發所用的腦力激盪法與作業創造術卽可運用參與管理（Management By Participation）法則來增進羣體氣氛，經由成員的互動（Interactions）塑造組織動態平衡（Dynamic Equilibrium）之情境，從而培養參與者的靈感，並透過彼此間的腦力激盪，以找出最適宜的解決方案。

　　社會科學中兩點間最短的距離並非直線，經驗法則的引用斷不可陳義過高，奢求理性的最佳方案（The One Best Way），須知經驗世界裏，決策者可能面對的決策情境有三，其決策方式自有不同，玆扼要說明如下：⓬

㈠　**確定狀況（Certainty）下之決策**

　　卽指決策者已能確知每一種可行方案的結果之決策狀況，其決策方式自然是直接選擇最佳結果之方案，此種決策情境最爲簡單。

㈡　**風險狀況（Risk）下之決策**

　　卽指決策者無法確知每一可行方案可能出現之結果，但可依經驗與知識來判斷各種可能結果之機率值的決策狀況。其決策方式就是求各可行方案的最大期望值。

㈢　**不確定狀況（Uncertainty）下之決策**

　　卽指決策者無法確知每一可行方案出現之結果，同時亦無法

估計機率值之決策狀況，其決策方式只有靠主觀判斷及經驗法則。

謠云：「天下之事不如意者十之八九。」決策情境從確定狀況到不確定狀況的出現，剛好是兩極化，人們碰上未結構化的問題，旣不能有「又要馬兒好，又要馬兒不吃草」的純理性夢想，那麼只好仰望決策者可依「經驗法則」從事例外管理；換言之，愈是險惡的環境（不管是風險狀況或者不確定狀況）便愈需要採取啓發性的規劃；蓋經驗法則之應用千變萬化，推陳出新，令人有「花非花，霧非霧」的迷朦感，雖然如此，但畢竟萬變不離其宗，惟有善用自我的腦力，方能感受運用之妙存乎一心的旨趣。

五、結　語

決策行為乃是隨機應變，因勢利導的制宜途徑，為此，圖書館員在進行圖書館規劃時，決不可刻舟求劍或守株待兎，須知天下決無「放諸四海而皆準，百世以俟聖人而不惑，質諸鬼神而無疑絕」的顛仆不破眞理，問題的解決只要行得通，辦得到，當可不必拘泥於一定的成規；尤其是在我國圖書館事業邁向現代化途程之際，館員應付結構不良的問題時，何妨超越自我的有限知障，嘗試著利用經驗法則以對問題作「自由心證」，冀能提出機動適應，靈活利用的上乘方案，以徹底解決圖書館運作所產生的一切問題。

誠然，在今日管理科學家所提出的作業研究方法，尚不能稱得上無所不能的時刻，吾人探討圖書館規劃工具時亦不該割捨啓發性規劃這一種直觀式判斷法則，反之，在正規圖書館學校敎育或館員在職訓練 (In-Job Training) 中，應多安排一些館員創

造力思考培養的課程，以循序漸進、拾階而升強化學生或學員邏輯思辨能力，以便提昇其解決問題之能耐。 羅馬不是一天造成的，機智、閱歷結合問題本質是決定經驗法則運用成敗的三大組件，希望館員們採用自由心證以構思方案時，勿忽略這些要件；最後謹以禪宗始祖迦葉所揭之「隨緣法」偈：「萬法本無法，無法法亦法，法法何曾法，惟有隨緣法」與讀者共勉，並希望此四句有助於讀者蘊育出解決問題的新構想。

〔附　註〕

❶ 許士軍，**管理學**（臺北：東華，民國70年），頁183。

❷ 廖又生，**圖書館組織與管理析論**（臺北：天一，民國78年），頁154。

❸ 許是祥譯，**企業管理**（臺北：中華企發中心，民國70年），頁304。

❹ 沈寶環，**圖書館學與圖書館事業**（臺北：學生，民國77年），頁174。

❺ Clayton B. Joeckel, *Current Issues in Library Administration* (Chicago: Univ. of Chicago Press, 1939), preface.

❻ Ching-Chih Chen, *Application of Operations Research Models to Libraries* (Cambridge, MA: MIT Press, 1976).

❼ Robert J. Theirauf & Robert C. Klekamp, *Decision Making Through Operation Research* (New York: John Wiley & Sons, Inc., 1975), pp. 1-3.

❽ 陳定國，**企業管理**（臺北：三民，民國74年），頁250-51。

❾ Alex. Osborn, *How to think up* (New York: Charles Scribner's Sons, 1963), pp. 22-36.

❿ 陳定國，**現代行銷學**（臺北：華泰，民國71年），頁667。

⓫ J. W. Humble, *Management by Objectives in Action* (New York: McGraw Hill Book Co., 1970), p.2.

⓬ 吳定，**公共行政論叢**（臺北：天一，民國74年），頁226。

〔參考書目〕

中文部份

李長貴。**人事管理學**。臺北：中華，民國79年。

范承源。「美國的社會變遷與教育，一九六〇至一九八〇」。**美國研究**13
卷1期（民國72年3月），頁101-160。

―――。「高等教育與圖書館：美國大學圖書館專業館員服務理念的形
成」。**圖書館學刊**第6期（民國78年11月），頁23-37。

J. Geoffery Rawlinson著。林隆儀譯。**創造性思考與腦力激盪法**。臺
北：清華圖書，民國71年。

胡述兆。「美國圖書館專業教育初探」。**圖書館學刊**4期（民國74年11
月），頁1-42。

高錦雪。「圖書館利用教育的行銷取向」。**圖書館學刊**18期（民國78年6
月），頁30-34。

陳家聲。「認知型態、人格特質與績效表現間之關係」。**臺大管理論叢**1
卷1期（民國79年5月），頁49-104。

陳樹勛。**創造力發展方法論**。臺北：中華企管中心，民國58年。

蔣復璁。**帚珍齋文集**。臺北：臺灣商務，民國74年9月。

―――。「六十年的圖書館員生活――在美國國會圖書館演講」。**中國圖
書館學會會報**37期（民國74年12月），頁1-8。

劉思量。**藝術與創造**。臺北：藝術家出版社，民國78年。

藍乾章。**圖書館經營法**。臺北：書藝，民國67年。

繆全吉。**行政革新研究專集，二集**。臺北：聯經，民國79年。

英文部份

Ackoff, R. L., *The Design of Social Research*. Chicago: The University of Chicago Press, 1953.

Beach, Dale S. *Personnel: The management of people at work*. New York: Macmillan Publishing Co, Inc. 1980.

Bloomberg, Marty. *Introduction to Public Service for Library Technicians*. Taipei: Student Book Co. 1979.

Caane, Donald p. *Personnel*. Boston, Mass.: Kent Publishing Company, 1986.

Denton, Emily M. *The Library of Tomorrow*. Chicago: ALA, 1939.

Dessler, Gary. *Personnel Management*. Englewood Cliffs, New Jersey: Prentice-Hall, Inc., 1988.

Drucker, Peter F. *The Age of Discoutiuity: Guidelines to our Changing Society*. New York: Harper and Row. 1979.

Fung, Margaret. C. "Information Service of the American Academic Library in 2000". ，教育資料與圖書館學 18 卷 3 期 (民國73年 3 月) ：37-57。

Gross, Bertram, M. *Organizations and Their Managing*. New York: The Free Press of Glencoe. 1968.

Hester, Al. "The Communications Revolution: Dangers to Third World Culture." 教育資料與圖書館學 21卷 2 期 (民國72年 12月) ：108-119。

Ideus, K. *Career Development Project: A Case Study*. Unpublished Master's Thesis, Department of Education, Alaska Pacifit University. 1985.

Joeckel, C. B. *Current Issues in Library Administration.* Chicago: University of Chicago Press, 1939.

Kent, Allen and Galvin, Thomas J. ed. *Library Resources Sharing.* New York: Marcel Dekker Inc. 1977.

Likert, Rennis, *The Human Organization.* New York: McGraw-Hill Book Company. 1967.

————, *New Patterns of Management.* New York: McGraw-Hill Co., 1961.

March J. and Simon, Herbert A, *Organizations.* New York: John Wiley & Sons Inc., 1958.

Mooney, James D., and Reiley, Allen C, *Principles of Organization.* New York: Harper & Row, 1947.

Murphey, Robert. *How and where to look it up.* New York: McGraw-Hill, 1958.

Pfiffner, J and Presthus, R.V. *Public Administration.* N.Y.: Ronald, 1967.

Riggs, Donald E. "Strategic Planning and Library Technology" 教育資料與圖書館學，21卷1期（民國72年9月）：1-13。

Seng, Harris Bao-hwen, *A Suggested Curriculum for Boone Library School,* ph. D. Dissertation, Department of Education, University of Denver, 1953.

Shores, Louis. ed., *Challenges to Librarianship.* New York: Brown Co., 1953.

Stueart, Robert D & Eastlick, John T. *Library Management.*

Littleton, Colorado: Libraries Unlimited 1981.

Thompson, Victor A., *Modern Organization*. New York: Alfred A. Knopf, Inc., 1961.

Zaltman, G. & Duncan, H. *Innovations and Organizations* New York: John Wiley and Sons, 1973.

第十四篇

「效果律」
與圖書館組織行為修正

「效果律」與圖書館組織行為修正

一、引　言

　　圖書館是將人類思想言行的各項記錄，加以蒐集、組織、保存，以便於利用的機構。❶準此於技術服務與讀者服務的互動過程中，館員實扮演着舉足輕重的角色，優秀的館員不但有利於館務的擴展、服務水準的完善，更有助於全館整體的精進；然我國圖書館事業囿於員額編制的窠臼，各類型圖書館均普遍存在人力不足的隱憂，是以在原有人事法規尚未修正前；面對圖書資訊量的增加，如何有效確保館員服務讀者的品質，誠為現今我國圖書館管理實務上亟待解決的問題。

　　窮則變，變則通；圖書館事業既講求行動，同時也跟着時代環境而變動，圖書館經營自不宜抱殘守缺、墨守成規，尤其是在圖書館遭遇能源危機、通貨膨脹、人員不足等不利因素挑戰之際，為安然渡過難關，就必須採用緊縮管理 (Cutback management) 策略，藉以提高圖書館的能力 (Capabilities) 並賦予高度活力 (Viability) ❷，使其成功的適應環境的壓力。秉此，作者擬以組織發展 (Organizational Development, OD) 領域裏之一可行工具 —— 即組織行為修正 (Organizational Behavior Modification, OB Mod.) 來探討有關圖書館組織內部人力資產

的管理問題，企盼在圖書館陳舊法制無法更迭的此刻，得經由組織行為修正技術，以對館員進行「行為改造」，使之發揮潛能、改變態度、提高素質，達到同心同德、萬衆一心的境界。

二、OB Mod 的理論基礎：效果律

依薩穆爾及麥克路爾 (Alan R. Samuels & Charles R. McClure) 二人描繪圖書館行政理論的發展系絡 (Context) 時指出：組織行為修正術乃是人羣關係 (Human Relations) 或行為科學(Behavioral Sciences) 兩學派研究的重點；❸ 就OB Mod的本質審究，其理論基礎根植於心理學上的學習行為，特別是學習理論中的「聯結論 (Connectionism)」，該學說係由美國動物心理學先驅人物桑戴克 (Edward L. Thorndike) 所倡導，桑氏於1898年發表「動物的智慧(Animal Intelligence)」一文，設計聞名於世的迷津實驗，提出迄今仍影響學習心理界的嘗試錯誤 (Trial and Error) 說，❹桑戴克認為刺激與反應 (S-R) 之間經多次的練習卽會形成牢固的聯結，基於這種聯結歷程，桑氏進而導出動物學習的三大定律：

1. 效果律 (Law of Effect) 。
2. 練習律 (Law of Exercise) 。
3. 預備律 (Law of Readiness) 。

其分別象徵反應的效果，練習的次數，以及準備的程度，在這三大學習定律中，桑氏特別強調「效果律」的觀念，他謂：「滿意的效果（報酬）加強刺激及反應間的聯結，而不滿意的效果(懲罰)則減弱這種聯結。」❺簡言之，有關反應 (Response)

的選擇與排除是效果律詮釋的重點；根據此一定律，對事件滿足狀態（就是有機體渴望達到或維持的目標）之反應，才能被接受或學習，如個體反應後帶來的是痛苦的效果，則其反應不被強化，以後同樣情境出現，個體將不作重複反應，學習即不能產生；迷津實驗最足以說明選擇學習（Selecting Learning），在一系列路徑所構成的迷津，若老鼠能抵達終點處則它可得到報酬；本此，學習者要從出發點到終點之間找出一條最短而最直接的路。老鼠常在迷津中發生錯誤、空闖死巷，但隨着學習的進步，這些錯誤逐漸被淘汰，終於學得正確的途徑。戴桑克的學習理論特別突顯效果因素，講究「報酬 —— 懲罰」間的差異，因此有些學者也將他列為「增強論（Reinforcement Theory）」者。

效果律後來為組織行為（Organizational Behavior, O.B）學家所繼受，並將其運用於組織成員行為的修正；一般 OB 學家皆認為員工訓練過程中，其學習效果常會受情境所影響，當學習會帶來滿足感或愉悅時，學習者就顯得積極進取，反之，若是在學習歷程中產生挫折或苦惱（frustration or annovance），則表現出消極頹唐的行為；所以心理學家寇克斯（Frank Cox）指出：「效果律實質上就是操作制約論的同義詞（Law of Effect is Virtually Synonymous with Operant Conditioning）」。❻可見效果律提供了 OB Mod 的立論基礎。

誠如眾知，組織發展旨在促進圖書館有計劃的變遷（Planned Change），圖書館管理若能適時引進組織行為修正術才能使館員保持新的觀念、新的知識，並使技術不落人後，❼我國圖書館事業經營始終面臨「先天不足，後天失調」的困難，❽積極

開發「人」礦，俾使館員勝任館藏發展、參考服務等艱深工作，從而全面提高圖書館的生產力，這點在我國尤屬迫切需要。❾

三、OB Mod 的內涵：程序與方法

組織行為修正的要義，乃在人有正確的行為時給予獎勵，而在人有不當行為時給予懲罰，經由這樣的行為修正，當事人便能學會他應該做些什麼，以符合別人對他的期望。❿截至目前為止，OB Mod已經被許多服務性組織 (Service Organization) 所採用，例如精神病院或醫療機構便對病人施以這種處遇，其常見之道，是精神病人每次完成一項工作時，即給予一種象徵報酬，而這種報酬可以是精神的或物質的，但必須是可立即兌現的，如此反覆運行，發現對精神病人的行為確有矯正 (Correction) 的作用，可以促使病患遵守組織規範。後來 OB Mod 適用範圍日漸擴大，許多事業機構慣用該技術以激勵員工、增進個人工作滿足感，同時獲致組織總體的績效 (Performance)；依管理學名家史東納 (James A. F. Stoner) 所勾勒組織行為修正的程序大抵如下：⓫

刺激→反應→結果→未來的反應

行隨心轉，一般組織內的員工，表現個人的志願行為 (Voluntary behavior)，常受情境或事件所刺激 (Stimulus)，換言之，假使個人所獲得的結果 (Consequences) 是正面的，那麼在以後相似的情境下，人們將有相似的反應(Responses)；反之，假如所得的結果是不滿意的，那麼人們將改變其行為以避免

(avoid) 獲取這些負面的報償。吾人可再度肯定：行為修正就是藉獎賞或懲罰以改變員工的行為，其推行依循以下兩項原則：

1. 導致正面結果（獎賞）的行為有重覆的傾向，而導致反面結果的行為則有不重覆之傾向。

2. 藉由適當安排的獎賞，可以改變一個人的動機（Motive）和行為，逐步加強，便可塑造（Shape）組織預期想得的正確行為。

　　由上二條原則歸納，不難可窺見行為修正不但要留意增強的類型（type of reinforcement），更要把握增強時程之安排（the schedules of reinforcement）。前面提及，OB Mod 的哲學基礎在「效果律」，心理學家也指陳其與「操作制約論」異曲同工。既然如此，操作制約論與 OB Mod 自可相互為用；所謂操作制約作用又稱「工具式制約（Instrument Conditioning）」，是由心理學名家施金納（B. F. Skinner）所倡導，施氏將老鼠放入施金納箱內，老鼠偶而按到橫木時，食物就掉進盤裏，老鼠因而得食，老鼠得食後不久，又偶然按橫木，食物增強了老鼠按橫木的行為。這與帕耳諾夫（Ivan Pavlov）的古典制約（Classical Conditioning）作用正好相反，蓋在古典制約作用中動物是被動的，等候制約刺激（Conditioning Stimulus）與非制約刺激（Unconditioning Stimulus）聯合出現；而在工具的制約作用中動物必須主動，其行為除非有勞作，否則得不到增強。❷ 從此可知，古典制約理論主張刺激的改變會誘發（elicit）行為，而操作制約理論則以為刺激會引起多種反應中的某一種反應而已，即刺激會引起自發性（emit）行為。一言

以蔽之，古典制約論受接近律（Law of Contiguity）的支配，而操作制約論則受效果律的支配，❸兩者的差異徐木蘭教授曾精細比對，茲以表14-1說明：

表14-1：古典與工具學習論的比較

特徵＼派別	古 典 理 論	工 具 理 論
反應的型態	非主動的，與生存需要有關，由刺激誘發而在個體內產生改變	自動的，受環境影響，由個體操作行為
刺 激 性 質	誘發反應	有獎勵存在的信號
反應與增強物時間關係	反應在後	反應在前
訓 練 情 形	由實驗者決定	依反應的情況而定

資料來源：**徐木蘭，行為科學與管理**（臺北：三民，民國72年），頁84。

在探索 OB Mod 的運用法則及程序後，我們進一步要闡述其在圖書館管理上的應用，依作者觀察，圖書館組織行為修正的方法，不外乎以下四種：

㈠ **正面增強**（Positive Reinforcement）

圖書館主管可鼓勵下屬重覆特定行為，正面增強可再分為初級增強物（Primary reinforcers）與次級增強物（Secondary reinforcers）兩種，前者在滿足員工生理需求，如水和食物等；後者則靠以往正面聯想（positive past association）經驗而具增強作用，像稱讚或升遷等，圖書館管理者必須發展出一套適於全館工作人員的獎勵系統（Reward System），同時針對館員的個別差異性也應該有合宜的獎勵措施加以因應。

（二）　**逃避學習**（Avoidance Learning）

此種情形發生在館員學習到如何預防或避免不佳結果（Unpleasant Con quences）之時候。如編目員學到依 AACR$_2$ 細心著錄，以避免減低圖書組織與整理的品質，再如於參考諮詢部門服務的館員，如其個人服務態度遭到讀者羣（Patron Group）批評時，他便可能會試着藉改進績效來逃避旁人的批評。

（三）　**消除**（Extinction）

消除及處罰都是用來減少不想要的行為（Undesired behavior），而非增強想要的行為（Desired behavior），消除意味著在不想要的行為發生後不給予增強，從而使它逐漸消聲匿跡，例如在圖書館組織中，對於表現不佳的非專業館員（Non-Professional），圖書館主管會使用消除，也就是故意忽視的方式來處理（假定非專業館員有愛搗亂行為產生），而不是使其覺得受到特別的注意。在圖書館內部工作場所裏，消除的方式常被用來處理過度好管閒事（overly inquisitive）或妨礙（disruptive）他人工作的員工。

四 **處罰** (Punishment)

圖書館管理者處罰下屬的方法有嚴厲批評、縮減薪資、不給予特殊權益、降級、及限制其工作自由，簡言之，卽是給館員負面的結果（negative consequences）以改正他不當的行為（improper behavior）。[14]

施金納與其他行為管理學家一致主張，最好以正面增強，而非處罰的方式來改變員工行為。理由有二：一是處罰只是告訴對方（館員）什麼是不該做的，而不是什麼是該做的。因此當個人（館員）必須藉由嘗試錯誤來找出不會被處罰的行為時，新的過失很可能會不斷發生。另一原因是處罰會引起對方的怨恨，這常是反建設性的，因此對大部份員工而言，正面增強（如果必須可與消除法共用）是較有效之人性化（humane）的管理方式。圖書館的工作重，待遇低，升遷的機會少，在採用 OB Mod 時畢竟「積極興利」管理策略要優於「消極防弊」的控制方法，這是圖書館經營者不得不認清的地方。

四、OB Mod 的實務面：步驟與規則

人類行為錯綜複雜，有如天空萬象，變化無窮，令人難以捉摸，茲使用學習理論方法以探測組織內的個別行為，按管理學者魯然士及克萊那（Fred Luthans & Robert Kreitner）二人的見解，可依五大步驟來進行，茲以圖14-1表示於下：[15]

從圖14-1 OB Mod 的五個步驟審究圖書館的組織行為，可作如此闡述：

1.界定（Identification）：牽涉到圖書館管理者認為不妥當的

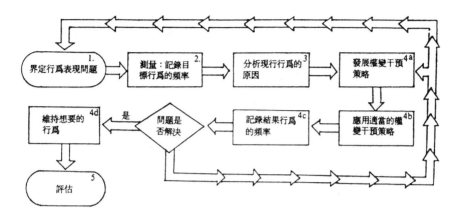

圖14-1：組織行為修正的步驟

資料來源：Fred Luthans & Robert Kreitner, "The Management of Behavioral Contigencies." *Personnel* (July-August 1974), p. 13.

一些特殊的行為。

2. 測量（Measurement）：記錄行為的出現頻率，這可幫助圖書館主管確定他是否成功地改變了館員的行為，另一方面也可使圖書館主管對該行為的相關因素有較深入的了解。

3. 分析（Analysis）：圖書館經營者試圖確定該項行為所以持續出現的原因。

4. 干預（Intervention）：a. 發展出改變行為的策略。b. 執行該項策略。c. 測量結果行為的頻率。d. 如果效果令人滿意，則可採用增強策略以維持想要的行為。

5. 評估（Evaluation）：圖書館主管須負責評量整個過程的效

果，若不理想則需再加以分析、找出原因或者看看是否有其他類型的館員（個人）或情境適用於這套措施。反之，假使效果良好的策略則可記取，以作為未來圖書館組織發展的參考。

以上為學習理論在圖書館館員之行為修正實務中所應注意的幾個步驟；其後又有 O.B 學家漢納 (W. Clay Hamner) 建構行為修正技巧的六項使用規則，茲依序說明於下：⑯

規則1 獎勵方式非齊頭式的 (Don't reward all individuals equally)。

圖書館主管若想有效地發揮行為增強物的功能，獎勵就必須以館員績效為依據，齊頭式的獎勵方法只會增強差勁或中庸者的績效，而忽略了良好的績效。

規則2 請注意缺乏反應也可能改變行為 (Be aware that failure to respond can also modify behavior)。

除了反應可影響館員外，圖書館主管若不作任何反應也會對部屬發生影響。例如若不對某位值得稱讚的館員加以任何的讚美則可能會使他下次出現差勁的績效。

規則3 務必讓對方知道如何可以獲得增強物 (Be sure to tell individual what they can do to get reinforcement)

設定績效可以告訴對方應作些什麼才能得到獎勵，從而使圖書館內之館員據此調整其工作型態 (work pattern)。

規則4 務必讓對方知道他的錯誤何在 (Be sure to tell individuals what they are doing wrong)。

倘若圖書館管理者拒絕給予某位館員獎勵，卻又不透露原因

這位下屬可能會不清楚那些行爲是主管認爲不妥的，同時他也可能覺得自己是被上司任意操縱或玩弄。

規則5 不要在其他人面前處罰部屬 (Don't punish in front of others)。

固然適當的指責有時可有效的消除部屬不妥的行爲，但圖書館主管如公然的指責所屬館員，會使對方有被羞辱的感覺，並且可能會使該工作羣體 (work group) 的所有成員憎恨管理者。

規則6 方式要公平 (Be fair)。

館員所表現的行爲結果應該正確的給予評價，即應適度的獎勵那些表現優良的下屬，若無法適當的鼓勵下屬或者過度獎勵不值得表揚的下屬，均會削弱獎勵的增強效果。

揆諸 OB Mod 實行的步驟與運用規則，不正告訴圖書館事業機構的主持人或館內主管，在採行組織行爲修正技巧時理當循名責實、賞罰分明，且不斷進行結果評估 (outcome evaluation)，力求符合「實至名歸」的水準。

五、結　論

諺云：「人爭一口氣，神爭一柱香。」在圖書館事業面臨員額極端不足的窘境，如何就現在有限的人力資源 (Human Resources) 進行有機組合，俾發揮人力的最大效用，乃是圖書館管理學家所關切的問題，本文作者引介盛行於各事業機構且聞名已久的 OB Mod 技術，旨在希望它能有效幫助圖書館作良性的組織變遷 (Organizational Change)，更盼圖書館經營者能熟諳 OB Mod方法與規則，建立健全的獎勵系統，使圖書館員人人堅

守崗位、恪盡職責，矢志作一文化尖兵，以完成文化事業機構增產報國的神聖使命。⑪

〔附　　註〕

❶ 王振鵠，「圖書館與圖書館學」，**圖書館學**（臺北：學生，民國69年），43頁。

❷ A. Booth and D. Higgins, *Human Service Planning and Evaluation for Hard Times* (Springfield, Ill,: Charles C. Thomas, 1984).

❸ Alan R. Samuels and Charles R. McClure, *Strategies for Library Administration: Concepts and Approaches* (Littleton, Colo.: Libraries Unlimited, 1982), p.16.

❹ Edward L. Thorndike, *Animal Intelligence* (New York: Macmillan, 1911), p.244.

❺ Richard D. Arvey & John M. Ivancevich,"Punishment in Organizations: A Review, Preposition, and Research Suggestions," *Academy of Management Review* 5, no.1 (January 1980),pp. 123-132.

❻ Henry P. Sims, Jr., "Further Thoughts on Punishment in Organizations," *Academy of Management Review* 5, no.1 (January 1980), pp. 133-138.

❼ Suzanne H. Mahmoodi, "Are You Sure That's What You Meant to Say?" *Public Libraries* 21 (Summer 1982), p.69.

❽ 范承源，「談臺灣大專圖書館專業人員的培養」，**國立臺灣大學圖書館學系成立廿週年紀念特刊**（臺北：該系編印，民國70年）

❾ 楊美華，**大學圖書館之經營理念**（臺北：學生，民國78年），頁195。

❿ Fred Luthans and Robert Kreitner, *Organizational Behavior*

Modification and Beyond: An Operant and Social Learning Approach (Glenview ill: Scott, Foresman, 1985).

⑪ James A. F. Stoner and Charles Wankel, *Management* (Englewood Cliffs, New Jersey: Prentice-Hall Inc., 1986), p. 429.

⑫ 王雲五主編，**雲五社會科學大辭典第九冊——心理學**（臺北：臺灣商務，民國59年），頁57。

⑬ 徐木蘭，**行爲科學與管理**（臺北：三民，民國72年），頁83-84。

⑭ B. F. Skinner, *Beyond Freedom and Dignity* (New York: Knopf, 1971).

⑮ Fred Luthans and Robert Kreitner, "A Social Learning Approach to Behavioral Management: Radical Behaviorists, 'Mellowing out'" *Organizational Dynamics* 13, no. 12 (August 1984), pp.47-63.

⑯ W. Clay Hamner, "Reinforcement Theory and Contingency Management in Organizational Setting" in *Organizational Behavior and Management:A Contingency Approach* (New York: Wiley, 1977), pp. 96-98.

〔參考書目〕

中 文 部 份

范承源。「大學圖書館參考服務的缺失與改進」。**中國圖書館學會會報**35
　　期（民國72年12月），頁113-116。

高錦雪。「圖書館的本質與功能之哲學觀」。**中國圖書館學會會報** 36 期
　　（民國73年12月），頁93-116。

─────。「圖書館哲學之界說及其文獻簡介」。**圖書館學刊**13期（民國73
　　年12月），頁18-34。

徐木蘭。**組織溝通的個案研究：以化學工業研究所為例**。臺北：著者，民
　　國72年。

張淳淳。「圖書館經營效能與效率」。**圖書館學刊**11期（民國71年12月），
　　頁34-83。

張樹三。「美國俄亥俄大學圖書館行政組織評介」。**中國圖書館學會會報**
　　39期（民國75年12月），頁3-8。

陳　豫。「全國圖書館人員繼續教育之規劃與展望」。**臺北市圖書館館訊**
　　4 卷 3 期（民國76年 3 月），頁17-22。

黃世雄。「圖書館員的繼續教育──淡江大學圖書館的經驗」。**臺北市圖
　　書館館訊** 4 卷 3 期（民國76年 3 月），頁8-10。

盧荷生。「漫談圖書館的行政管理」。**臺灣教育**443（民國 76 年11月），
　　頁5-9。

─────。「漫談圖書館與讀者：以大學圖書館為例」。**臺北市立圖書館館
　　訊** 4 卷 2 期（民國76年11月），頁5-9。

────。「憶往述懷」。**文史哲雜誌** 3 卷1/2期（民國75年 9 月）。

英文部份

Alderfer, Clayton. *P. Existence, Relatedness, and Growth* New York: Free Press, 1972.

Bailey, Martha J. *Supervisory and Middle Managers in Libraries*. Metuchen, N.J.: Scarecrow, 1981.

Ballard, Thomas H. *The Failure of Resource Sharing in Public Libraries and Alternative Strategies for Service*. Chicago: ALA. 1986.

Betz, L. Ellen, "Two Tests of Maslow's Theory of Need Fulfillment," *Journal of Vocational Behavior* 24, no. 2 (April 1984): 204-220.

Carey, R. *Library Guiding: A Program for Exploiting Library Resources*. Hamden, Conn.: Linnet, 1974.

Chaplan, Margaret A., ed. "Employee Organizations and Collective Bargaining in Libraries." *Library Trends* 25 (October 1976).:11-23.

Dessler, Gary. *Organization and Management: A Contingency Approach,* Englewood Cliffs, N J.: Prentice-Hall Inc., 1976.

Dougherty, Richard M., and Heinritz, Fred J. *Scientific Management of Library operations*. 2nd ed. Metuchen, N. J.: Scarecrow, 1982.

Edsall, Marian S. *The Harried Librarian's Guide to Public Relations Resources*. Madison, Wis: Coordinated Library Information Program, 1976.

Fiedler, Fred E. *A Theory of Leadership Effectiveness.* N.Y.: McGraw-Hill, 1967.

————, "The Contingency Model-New Directions for Leadership Utilization." *Journal of Contemporary Business* 9(Autumn 1974): 70-81.

Greene, K "Leadership Conference 1984-learning by all means." *Ohio Media Spectrum* 36 (Summer 1984). 41-44.

Hamner, W. Clay and Hamner, Ellen. P. "Behavior Modification on the Bottom Line." *Organizational Dynamics* 4, no.4 (Spring 1976): 2-21.

Hashiguchi, Katsuhisa. "The Effects of Extrinsic Rewards and Positive Feedback on Intrinsic Motivation." *Japanese Journal of Psychology* 55, no.4 (1984): 228-234.

Johnson, Richard A, Kast, Fremont E and Rosenzweig James E. *the Theory and Management of Systems* 3rd Edition, New York MGraw-Hill Book Comany. 1974.

Kearney, Maureen, "A Comparison of Motivation to Avoid Success in Males and Females." *Journal of Clinical Psychology* 4. no. 4 (July 1984):1005-1007.

Luthans, Fred and Kreitner, Robert, *Organizational Behavior Modification and Beyond: An Operant and Social Learning Approach.* Glenview, Ill.: Scott, Foresman, 1985.

Luthans, Fred and Lyman David, "Training Supervisors to Use Organizatioral Modification." *Personnel* 50, no.5 (September-October 1973):38-44.

Malinconico, S. M., "Managing Organizational Culture." *Library Journal.* 109 (April, 1984):791-793.

McClelland, David C. *The Achieving Society.* Princeton, N. J.: Van Nostrand, 1961.

Morse, Philip M. *Library Effectiveness: A Systems Approach.* Cambridge, Mass.: MIT Press, 1968.

Nadler, Leonard. and Nadler, Zeace, *Developing Human Resources.* 3rd. ed., San Francisco Co.: Jossey-Bass Inc., 1989.

Otten, K. W., "Information Resources Management: manage ment focus on the value of information and information work." *Journal of Information and Image Management* 17 (August 1984): 9-14.

Person, R. J. ed. *Management Process: a selection of readings for librarians* Chicago: ALA, 1983.

Quinn, James B." Technological Forecasting." *Harvard Business Review* (March-April 1967): 13-21。

Raju, A. A. N., "Refresher course on management of public library services." *Herald of Library Science.* 22 (July-October, 1983): 231-3.

Sims, Henry P. "Further Thoughts on Punishment in Organizations." *Academy of Management Review* 5, no. 1 (January 1980): 133-138.

Skinner, B.F. *Beyond Freedom and Dignity,* New York: Knopf, 1971.

Thorndike, Edward. *Animal Intelligence.* New York: Macmillan, 1911.

第十五篇

「跳板原則」
與圖書館組織溝通

「跳板原則」與圖書館組織溝通

一、引 言

「溝通 (Communication)」這個名詞起源於拉丁文 Communi，意思是「共同」，它乃是指一個人的觀念（idea）與態度（attitude），能被他人所了解的活動。希臘哲人亞里斯多德 (Aristotle, B.C. 384-322) 曾說：「人是社會的動物」，芸芸眾生中無人可離羣而索居，人類文明的發展幾乎是透過羣體間的互動關係（Interaction）以編織貫串而成；放眼人類社會中的各式各樣組織，不論是圖書館、學校、公司、教會、醫院、或政府機關等，無一不重視溝通，難怪名組織與管理學家韋克 (K.E. Weick) 要說：「構成組織的過程就是溝通過程」了。
❶ 人們在組織生活裏相互溝通設法建立「共同性」（Commonness），謀羣策羣力、事竟其功 (getting thing done with and through others)。

眾所周知，圖書館組織是典型的服務性組織(Service organization)，以滿足讀者資訊需求為經營重心。因此，晚近圖書館學也將溝通行為視為研究的中心課題之一。❷ 外國發表有關館員溝通問題的文獻屢見不鮮；我國圖書館學界亦有沈寶環教授「聽！仔細的聽……圖書館員與讀者之間如何溝通問題」一文率先發

表；❸接著，有鄭雪玫教授「人際溝通與讀者服務」專論踵隨於後，❹兩位教授都以廣角度的觀點分析館員與讀者間的溝通問題，見解獨到、意含深遠。本文則轉從微視（micro）立場，藉圖書館管理中之溝通定律（即跳板原則）以闡述圖書館組織系統內部的溝通問題，除共襄盛舉於圖書館溝通理論的研究外，更盼望對圖書館組織的經營管理能有所助益。

二、「費堯橋」的啓示

現代管理理論之父費堯（Henri Fayol, 1841-1925）於一九一五年出版其代表著「一般管理與工業管理（General and Industrial Management）」一書，費氏在該鉅著中揭示著名的「十四項管理原則（Fourteen management principle）」其中之一爲「梯型原則（Scalar-Chain）」，這便與圖書館組織溝通有關連，❺梯型原則旨在貫徹指揮統一（Unity of Command）的精神，即在層級節制的結構中，從最高指揮者到最低的作業人員間，必須權責分明、完整統一，以利命令的下達及意見溝通，此稱「骨架原則（Skeleton principle）」，在傳統機械式的組織結構裏，特別強調這種垂直式的溝通（Vertical Communication），認爲溝通活動只存在組織上下層成員間的交互作用關係而已，其正如人體依賴各種骨骼以構建骨架維持身體運行一般。費堯除承繼這種觀念外，尚指出水平部門或職位的意見溝通方式，此稱「跳板原則（Gang-plank principle）」，在這個原則下，只要先取得共同上級主管的許可，組織階層中屬於同一層級者，可逕行直接溝通，不必再經垂直骨架單位迂迴轉達、大

兜圈子。這種打破傳統骨架溝通原則的竅臼，節省了不少溝通管道中不必要的時間與精神之浪費。因此，管理學者爲紀念費堯在組織溝通上的貢獻，便將跳板原則稱爲「費堯橋（Fayol's Bridge）」。玆再以圖書館組織爲例來說明費堯橋的溝通機能。謹先以圖15-1爲示例：

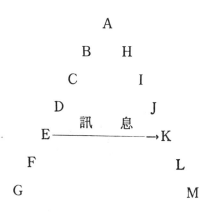

圖15-1：費 堯 橋

在圖15-1中，假如有一項訊息需由E館員傳送至K館員，則在需顧全層級的完整與確保指揮統一的前題下，該項訊息例需由E向上送達到A館長，再轉折向下至K，可見傳統骨架原則頗不符合溝通便捷的要求，爲了解決這項困擾，費堯橋的構想剛好可匡正骨架原則的不經濟；就接續前例而言，假如A館長已核准他的兩位部屬B及H助理館長運用所謂跳板原則，同時B及H也分別對其部屬C及I主任作同樣的核准，依此類推，館員E自可將特定的訊息傳播予另一館員K。費堯認爲運用跳板原則來便利任

務的達成，必將更能提高組織的管理效率與效能。

　　圖書館組織是一個開放的有機體 (a open organism)，它要不斷的接受環境的挑戰與滲透，因此水平分部化後所造成的單位，諸如採訪組、編目組、期刊組、典藏組、閱覽組、參考組或其他行政支援部門等，皆具有脈息相通、休戚相關的「手段目的連鎖」之關係 (relations to means-end chain)換言之；在外環境的衝擊下（例如讀者需求擴增、人力財力不足等因素），各分設單位本於任務專業化（ Task　Specialization ）的職分，要能往目標取向 (goal-orientation) 邁進，其唯一捷徑在能有效的進行組織溝通 ，以促使圖書館內各部門協同一致、職有專司、克奏其功。費堯橋這一觀念的提出，正可告訴圖書館的經營階層，其在進行圖書館管理時，必須以授權替代監督，善用跳板原則、貫徹分層負責制度，以使多數人滙為一人，個別的努力成為集體的努力；藉之擴大圖書館經營的力基 (Niche)。

三、「費堯橋」下的組織溝通類型

　　費堯橋溝通方式揭櫫於古典管理理論 (Classical Management Theory) 時代，那時管理學剛發軔 ，故骨架及跳板兩原則已足夠描繪組織溝通的狀態，隨著管理理論的發展，行為科學 (Behavioral　Sciences) 原理的引用 ，新古典管理理論 (Neo-Classical Management Theory) 已擴張了費堯橋的範疇，形成了正式組織（Formal　Organization）下的各種溝通態樣，妓以圖15-2加以說明：

　　在圖15-2裏表明了組織溝通應遵循的一定路徑 (going th-

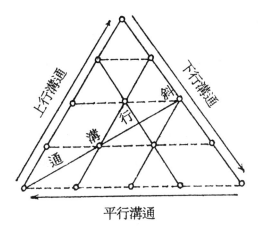

圖15-2：組織正式溝通

rough channels)，此亦溯源於骨架與跳板兩大原則，現以圖書館爲例，說明如次：

(一)骨架原則的擴大應用：

1.下行溝通 (Downward Communication)

這是按組織結構圖之設計，由主管將指示傳送予部屬。此爲組織溝通最古老的方式。基於費堯「權威與責任對等 (Parity of authority and responsibility)」的原則，凡擁有法定職權 (Statutory authority) 的人皆能對下屬發號施令與面授機宜；下行溝通雖可增強員工責任感，幫助組織達成目標，但也易形成獨裁氣氛，打擊基層士氣。同時組織溝通路逕上轉承的人愈多，資訊接受的百分比愈低。譬如，圖書館館長可對各組主任傳達有關工作方面的指示，各組主任可控制或評鑑其所屬館員的工作績

效，甚至協調館員間工作上的難題，但館長若存有「民可使由之，不可使知之」的偏差心理，自以為是，對館員們將造成沈重的負擔，且因沿組織而下的資訊，由於涉及的館員過多，致使資訊從上而下逐步受損或變質，這常是圖書館館務運作績效不彰的原因。

2.上行溝通（Upward Communication）

　　骨架原則除承認上令下申的存在外，也接受下情上達的溝通方式，部屬可以建議或報告的方法，對主管的指示適時予以反饋（Feedback），理論上下行溝通與上行溝通應等量齊觀、並行不悖，但依學者之研究，上行溝通極符合民主參與的原則，更能平衡情緒、砥礪部屬士氣，然就主管與部屬溝通的頻率與強度而言，上行溝通的質量卻遠遜於下行溝通。這種現象可以圖15-3表示：❻

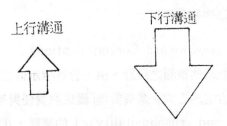

圖15-3：上下行溝通之比較

　　圖書館長如要諮周善道、察納雅言，以補下行溝通之不足，則需酌採開門政策（Open-door policy），例如意見箱、建議制度、館內同仁意見調查等，以配合下行溝通的運作，冀能取其所需讓其所餘，損有餘而補不足。

(二)跳板原則的擴大應用：

1.平行溝通 (Lateral Communication)

指組織結構同一階層的單位間或個人間的溝通。此為費堯橋的具體運用，有的學者對它的功能頗為執疑，❼ 但在民主參與的時代，對等式的溝通具有業務協調的機能，能打破部門間的藩籬，集思廣益而有利於組織的研究發展。以圖書館為例，採訪組主任、編目組主任必須相互協調才能逐步實踐該館的技術服務 (Technical Service) 政策；另像大學圖書館常以組織圖書館委員會的方式來討論預算分配或經營方針等、圖書館行政部門將公文副本照會各單位、館長定期參與館務會報，這些措施均是方便跳板原則的推行。在可預見的未來，隨著資訊的成長、出版品的污染 (Publication pollutions) ，圖書館、資料中心及媒體中心要能有效經營，必須在溝通的骨架上賦予血和肉，也就是在骨架原則外再輔以水平式溝通。如此才能以圖書館內部的組織溝通為基礎，對外進行成功的人際溝通與讀者服務。

2.斜行溝通 (Diagonal Communication)

這種溝通方式仍導源於費堯橋觀念，它是跳板原則彈性的運用。所謂斜行溝通通常是指不屬於同一組織層級中的單位或個人間的溝通。組織資訊的斜角流向 (Diagonal Flow) ，主要肇始於組織內職能權威 (Functional Authority) 的運作，例如教育部部長有權命令各省市教育廳局長提供有關該轄區內各式公共圖書館相關的資料。費堯曾說：「凡事均各有其位，且均各在其位(A place for everything and everything in its place)」，

組織在直線權威 (Line Authority) 外，以職能權威來襄助主
管以執行特定的政策；準此以觀，斜行溝通將溝通網路的分佈大
大的推廣，它亦能將相互依存的組織各分支單位作有機的整合，
以交織成有條不紊、啣接無間的溝通脈絡。

綜觀上面所言，組織溝通主要含下行溝通、上行溝通、平
行溝通及斜行溝通四種類型。其中上下行溝通已蘊含於組織圖
(Organization Charts)、工作規範 (Job Specification)
及職位說明書 (Position Description) 內，它是組織設計時經
由法令規章所強制賦予的；只要構定一個組織，即自然適用骨架
原則，故上行及下行溝通是組織與生俱來的產物，它們並非新鮮
的玩意兒。稱得上組織溝通研究創舉的要屬費堯「跳板原則」的
應用，費堯橋理念的誕生人類才進入組織傳播劃時代的新探索，其
後溝通理論的實證研究也證明平行溝通的頻率遠多於垂直溝通，
❽這正可以印證費堯學說的可行性。圖書館學者認為圖書館行政
不是一種技術，而是一門藝術，❾在圖書館行政活動中，唯有仰
賴溝通這份融合劑將圖書館高、中、低各階層館員的心緊密結合
在一起，以便彼此攜手並肩共同致力於圖書館目標的達成。

四、「費堯橋」外的組織非正式溝通

圖書館組織除正式溝通層面外，尚存在非正式溝通 (Infor-
mal Communication) 的問題，蓋非正式溝通為人性之必然，
它不像正式溝通那樣制式化；非正式溝通的進行往往以人格特質
(Personality Trait) 作表徵，組織成員可自由選擇自己的溝
通對象；此溝通的途徑富有彈性、不拘泥特定的型式。依社會心

理學家戴維斯 (Keith Davis) 的研究發現，非正式溝通可細分為四類，依序說明如下：❿

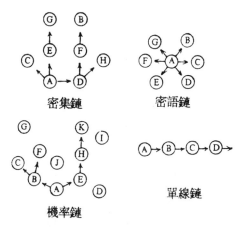

密集鏈　　　　　密語鏈

機率鏈　　　　　單線鏈

圖15-4：非正式溝通的類型

(一)密集鏈 (Cluster Chain)

這是一種選擇性的溝通 (Selective Communication)，在溝通的過程中，可能有幾位中心人物，再由這些人轉告其他人。

(二)密語鏈 (Gossip Chain)

像衆星拱月般，由一位中心人物將訊息發佈給四周圍的人。

(三)機率鏈 (Probability Chain)

道聽塗說，訊息的傳達沒有一定的路線，其無一定的中心人物，問題也未經刻意的選擇。

(四)單線鏈 (Single Chain)

這種非正式溝通式的類型發生的機會並不多，其情形常是一傳一的方式。

依彼得森的形容：非正式溝通的途徑常無垠無涯的到處蔓延，其形狀有如「葡萄藤 (Grapevine)」一般，⓫小道新聞、不脛而走，因其傳播快速，比較容易產生謠言（Rumors），而帶來管理實務上莫大的困擾。俗言：「謠言止於智者」，圖書館主管應以「開誠心，佈公道」的睿智，將正確的事實予以公佈，則自然可以駁斥無稽的流言。葡萄藤的溝通途徑由於沒有永久的成員，傳佈者常以秘密的耳語散發訊息，圖書館主管不應採行設定諜報網或佈鍵的治標策略，反之，應以非正式的影響力加以因勢利導，使非正式溝通得以彌補正式溝通之不足。

費堯在正式溝通中的下行溝通方式，曾提及法定職權的遵守規則，另外他亦提出個人權威 (Personal authority) ── 指源於個人的智慧、知識、道德及指揮能力等個性所形成的一種非正式職權。基本上一個優良的圖書館主管應是威重令行、豁達大度、法定權威與個人權威兩相並重的領導通才。

以我國現今圖書館組織溝通情況而言，似乎過份強調正式化的溝通管道，且正式溝通途徑裏又以下行溝通居大宗，往後要矯正圖書館溝通不良的弊端，理當重視非正式溝通的機能，這樣在圖書館的服務過程中，讀者、館員、圖書館主管及資訊間互動關係才能在良好的默契中取得共識。

五、良好的溝通應具備的條件

圖書館組織溝通旨在共享訊息，期望兩人或兩人以上進行溝

通時可凝成一個共享機體。⑫ 準此而言，一個優良的圖書館溝通活動，應該具備的條件有：

(一)溝通要素的健全

　　吉卜生（James L. Gibson）提出七項溝通的要素：Ⓐ來源（Sources）。Ⓑ製碼（Encoding）：使觀念與目的以訊息形式表現出來。Ⓒ訊息（Message）。Ⓓ途徑（Channel）：由來源到接受者的訊息傳送。Ⓔ譯碼者（Decoder）與接受者（Receiver）。Ⓕ回饋（Feedback）：發訊者最希望了解訊息是否被接受。Ⓖ噪音（Noise）：溝通過程中隨時可能發生的破壞、干涉或困擾。⑬ 玆以山農與偉佛（C.E. Shanon and W. Weaver）、在一九四九年所提出的「數學傳播理論（Mathematical Theory Communication）」爲例；該理論通稱「資訊理論（Information Theory）」，其大體上可顯示溝通要素的範圍，⑭ 謹以圖15-5表示：

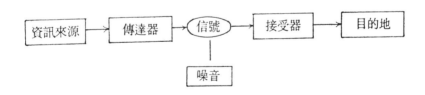

圖15-5：資　訊　理　論

　　圖書館組織的溝通最起碼的條件在於要求溝通要素的健全，無論採行親身途徑（Personal Channels）；例如會議、電話、

面談、書信；或者非親身途徑（impersonal channels）；像公佈欄、手册、刊物、意見箱等，皆須保持通道的清晰與暢通，這樣才可提高圖書館組織溝通的效果。

(二)善用溝通分析法

圖書館溝通的目的在適當與及時交換意見並解決問題，最近行為科學家利用心理 分析方法來瞭解人們 彼此間的 溝通型式 ，正可以用來改進圖書館主管與 館員的溝通 不良情景 。 茲以柏恩（Eric Berne) 創立、哈瑞斯 (Thomas. A Harris) 發揚光大的「交流分析(Transactional Analysis，簡稱 T. A.)」為例加以闡述；柏恩於一九六四年著有"大衆的遊戲"一書；認為每一個人的人格都由三種不同的自我狀態(ego states)所構成：❻

1. 父母型的自我狀態 (Parent ego state)

指人在溝通時表現出權威、武斷、偏執的行為與態度。

2. 成人型的自我狀態 (Adult ego state)

指進行溝通時表現理性、成熟、客觀的行為與人格。

3. 兒童型自我狀態 (Child ego state)

指一個人在與他人進行溝通時，表現出感性、衝動、情緒化的外部行為。

柏氏進而指出：一個身心健康的人應當具有維持三種自我狀態動態平衡的人格；因溝通的本質乃是雙向進行（Two Way Communication)的，兩造在回饋的作用下，刺激 (stimulus) 與反應（response） 不斷的交互作用， 在三種不同自我狀態的變換過程，兩造主客更可易位，茲再取三種不同自我狀態的字頭

(P,A,C) 以臚列交流分析的四種類型：

1.對稱型交流分析 (Symmetrical T.A.)

　　即資訊傳送者以某種自我狀態向接收者發送，接收對方也以相同的自我狀態加以反應。圖示如下：

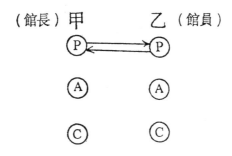

15-6：對稱型交流分析

　　圖書館長甲以命令的口吻對乙說：「圖書館館務改革專案計劃，今日下班前必須交出。」乙館員回答：「你自己撰寫看看，一天內可以不可以完成？」此爲P對P自我狀態的互動，其以主觀權威對應剛愎自用的態度，必然導致不良的溝通效果。基本上，對稱型的 T.A. 它溝通效果乃是衝突（P對P，C對C）多於和諧（A對A）的狀況。

2.互補型交流分析 (Complementary T.A.)

　　在刺激反應連鎖的過程裏，互補型的T.A.由於溝通兩造都能設身處地的爲對方著想，最容易收到「將我心換您心，彼此心心相印」的良好效果，例如館員以低姿態來對付主管的指示（即P

與C兩種自我狀態的相互補充），柔以克剛，將能使溝通雙方對對方期望皆如願以償。此以圖15-7表示：

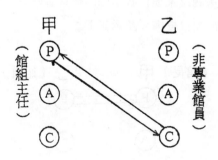

圖15-7：互補型交流分析

非專業館員乙對該組主任說：「主任，我覺得圖書館業務不很熟巧，心理蠻想參加這回學會的暑期短期訓練！」組主任回答：「好吧！凡是有心學習圖書館專業技能的，我是最贊成不過的了。」在此對話中乙的C自我狀態剛好對應甲的P自我狀態。所以圖書館內人員的溝通，需彼此間相互調適（mutual adjustment），以求不斷出現互補型的 T.A.。這樣才可使館內呈現出完美和諧的人羣關係（Human Relations）。

3. 交叉型交流分析（Crossed T.A.）

對談兩造話不投機所引起的溝通不良現象。這種「答非所問」或「風馬牛不相及」的傳播效果，是組織衝突的來源，它不但會樹立敵人，也容易製造組織糾紛，實應予以避免。茲以圖15-8表示：

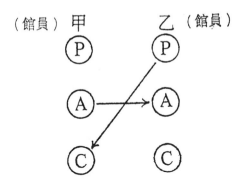

（館員）甲　　乙（館員）

圖15-8：交叉型交流分析

　　例如館員甲對乙說：「我下星期出差，如有出版商來訪，請您幫我接待，好嗎？」乙館員回答：「我又不是你的助理。你自己不會向人事室申請工讀生來代理你的職務？」俗語說：「話不投機半句多」，甲乙二館員的對話，勢必產生甲心理不快，因甲以A自我狀態發出訊息，而乙卻以P自我狀態作出反應，當然產生不歡而散的結果。交叉型交流分析是典型失敗溝通的範例，於今日圖書館人、財兩力俱維艱的處境，館員應有「我爲人人，人人爲我」的胸襟，凡事多爲對方設想，這樣才可化暴戾爲祥和、轉阻力爲助力，彼此間成爲快樂的工作伙伴。

4.隱藏型交流分析 (Ulterior T.A.)

　　在溝通的過程中，除了語文訊息（Verbal　Message）外，兩造間的姿態、表情、手勢、語調及動作等非語文訊息（Non-Verbal Message），即身體語言 (Body Language) ；往往會界入溝通過程，而決定溝通效果的良窳。隱藏型交流分析便是在「話中有話」、「暗藏玄機」的情況下發生，對應者如稍不留意、

不能掌握「絃外之音」，那麼也會產生不良的溝通。謹以圖15-9
表示：

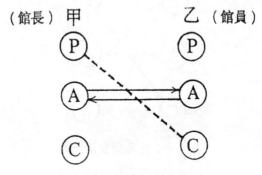

（館長）甲　　　　　乙（館員）

圖15-9：隱藏型交流分析

　　館長以嚴厲的語調對乙說：「分館那邊有個股長缺，貴組主
任推薦你去，不知閣下意願如何？」乙館員回答說：「原則上我
會遵守組主任的安排，不過最後的決定權還是在於館長的命令。」
如乙是以羞澀的表情（身體語言）表達心聲，那麼甲乙間的對話
表面上呈現出A—A的形式，而實際上甲館長是以P（嚴厲的語
調）自我狀態來表露對乙任股長一事不滿的心理（見圖15-9虛線
部份），如此在溝通上即有表裏不一致的情形，館員乙面對這種
曖昧式的態度，更須以謹慎的言行加以回應了。總之，隱藏型的
交流分析兩造若不能以「視其所以，觀其所由，察其所安，人焉
廋哉？人焉廋哉？」的心態來察言觀色，則隱藏型交流分析引起
衝突與磨擦的可能性也就在所難免了，故在組織溝通時還是要儘
量避免用此方式來進行交談。

　　一九六七年哈瑞斯進一步對交流分析的心理特徵加以深入研
究，認為人與人接觸時可能發生下列四種情況，現以圖15-10加

以表示：⑯

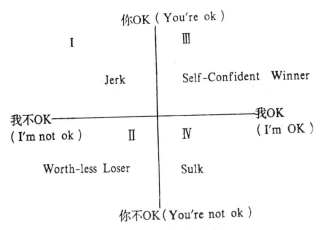

你OK（You're ok）

　　I　　　　　Ⅲ

　　　　Jerk　　　Self-Confident　Winner

我不OK————————————————我OK
（I'm not ok）　　Ⅱ　　Ⅳ　　（I'm OK）

Worth-less Loser　　Sulk

你不OK（You're not ok）

圖15-10：哈瑞斯的生命態度四型式

　　在圖書館組織溝通進行時，主管與館員對談，如果主管處於父母型自我狀態時，他生命態度是「我 OK，你不 OK。」這樣的圖書館主管是陰沈的人（Sulk）。如果主管是處於成人型自我狀態時，他生命態度是「我 OK，你也 OK。」這樣的主管必深受館員愛戴，他是落於圖15-10中第Ⅲ區域的有自信的勝利者（Self-Confident Winner）。如果他是處於孩提型自我狀態時，此時這圖書館主管的生命態度可能是「我不OK，你OK。」或「我不OK，你也不OK。」即館員會認定自己的上司不是一性情古怪的人（Jerk），便是一位自卑的失敗者（Worth-less loser）。⑰

(三)掃除溝通地位的障礙

　　溝通被圖書館學者稱為「人性教育（humanistic education)」，⑱組織溝通學者史切耐德（A.E. Schneider）認為溝通

要能達到「人性化 (humanity)」的境界，則必須：❾

1. H……honesty，誠實待人。

2. U……understanding，善解人意。

3. M……mutual respect，互敬互愛。

4. A……awareness of limitations，察覺缺欠。

5. N……negotiability，互通有無。

6. I……identification with their feelings，設身處地。

7. T……trust，互信互諒。

8. Y……"You" orientation, not "I"，客尊主卑。

　　誠如管理學名家徐木蘭教授所云：經由「人性化」的溝通要領，人與人間才可面對面的相互感受出互動關係，如此，語意上的障礙 (Semantics barriers)、語法上的障礙 (Syntatics barriers)、語用上的障礙 (Pragmatics barriers) 及認知上的障礙 (Perception barriers) 才可減少。❿圖書館內部溝通不良的情況便可自然地消弭於無形。

(四)良好的溝通指南

　　溝通並沒有一定的模式與尺度，祇要溝通兩造抱有反求諸己的同理心，持之有恆，棄牆築路，假以時日必能建立一套與人溝通的準則。㉑玆以溝通理論學者所提出的十項規則，臚列於下，可供圖書館主管與部屬參考：㉒

1. 直接進行溝通，不要兜圈子浪費時間。

2. 溝通進行時眼神應專注對方。

3. 避免以問句方式回答對方問題。

4.直接回答對方問題,也盼望對方直接回答問題。

5.如懷疑對方語意隱藏不彰時,應先詢清眞意。

6.避免將對造的話加以詮釋,以免扭曲原意。

7.避免給予對造錯誤的保證。

8.避免對問題、事實等作語意上的誇張。

9.考慮對方的感覺與想法。

10.針對問題與衝突的化解而溝通。

總之,就圖書館主管與部屬交互作用關係而言,圖書館組織溝通本質爲一雙向溝通,因此不管正式或非正式溝通,溝通頻道上書面與口頭兩種型式可交互運用。古典行政管理理論中的「跳板原則」,雖只就超越上下行兩種溝通方式出發。但在人類無法不發生溝通行爲的資訊時代裏,實應考慮到周邊問題的擴大,今日圖書館要作好與外在 (outside) 讀者羣 (patron group) 的良好公共關係 (Public Relations, P.R),必先以內部充份溝通爲基礎。所謂「攘外必先安內」的明訓,頗值得圖書館同仁黽之共勉。

六、結　語

組織溝通是熱門的課題,現今圖書館事業正遭受資訊爆破與經濟萎縮兩種危機的考驗,圖書館學者蘭開斯特 (F.W. Lancaster) 曾以悲觀的口吻指陳:「假如圖書館還不準備接受新的溝通方式 (New Forms of Communication) ,讀者會不顧而去,在我們將要進入的時代裏,資訊的消費者將在別的場所以檢索其所需的資料,果眞如此,圖書館就會變成只能保存舊資訊的

一種博物院 (Museum of old information)」❷。圖書館面臨這空前的變局，最根本的因應之道在於健全組織結構，而溝通之於組織，卽如同血液循環之於人體一般，假如無良好的意見溝通，圖書館運作將窒礙難行、百病叢生。先哲有言：「登高必自卑，行遠必自邇。」圖書館事業現今自求多福之道，首重有效整合館內有限的人、財、物力，而這種有機整合的良方，惟在「溝通」。因此；往後圖書館的經營唯有本乎「血濃於水」的至誠，發揮「人定勝天」的精神，才能化危機爲轉機，將圖書館事業推到一個嶄新的境界。

〔附 註〕

❶ K. E. Weick, *The Social Psychology of Organizing* (Mass.: Addison-Wesley, 1979), p. 13.

❷ Jesse H. Shera, *Introduction to Library Science* (Littleton, Colo.: Libraries Unlimited, 1976), p. 46.

❸ 沈寶環，**圖書館學與圖書館事業**（臺北：學生，民國77年），頁 23-42。

❹ 鄭雪玫，「人際溝通與讀者服務」，**沈寶環教授七秩榮慶祝賀論文集**（臺北：學生，民國78年），頁117-136。

❺ Henri Fayol, *General and Industrial Management* (London: Pitman, 1949).

❻ Richard M. Hodgetts著，許是祥譯，**企業管理—理論、程序、實務**（臺北：中華企業管理發展中心，民國70年），頁326。

❼ 許士軍，**管理學**（臺北：東華，民國70年），頁370。

❽ E. M. Rogers & Agarwala-Rogers, *Communication in Organization* (New York: Free Press, 1976), p. 100.

❾ 盧荷生，「澄清圖書館行政上的幾個觀念」，**臺北市立圖書館館訊**，3卷1期（民國74年9月），頁10-13。

❿ Keith Davis, *Human Behavior at Work* (N. Y.: McGraw-Hill, 1972), pp. 261-273.

⓫ E. Peterson et al., *Business Organization and Management* (Homewood, Ill.: Richard D. Irwin, 1962), p. 293.

⓬ 同註❸，頁23。

⓭ 張承漢，**組織原理**（臺北：臺灣開明，民國66年），頁136-137。

⑭ C. E. Shannon & W. Weaver, *The Mathematical Theory of Communication* (Urbana, Ill.: Univ. of Illinois Press, 1949), p. 12.

⑮ Eric Berne, *Games People Play* (New York: Grove, 1967).

⑯ Thomas A. Harris, *I'm Ok-Your're Ok: A Practical Guide to Transactional Analysis* (New York: Harper & Row, 1966), pp. 90-96.

⑰ Ibid.

⑱ Judith W. Powell & Robert B. Lelieuvre, *Peoplework: Communication Dynamics for Librarians* (Chicago: ALA, 1979), p. vii.

⑲ A. E. Schneider, W. C. Donaghy, & P. J. Newman, *Organization Communication* (N. Y.: McGraw-Hill, 1975), pp. 69-71.

⑳ 徐木蘭，行爲科學與管理 (臺北：三民，民國72年) ，頁146-152。

㉑ Florence E. Dehart, *The Librarian's Psychological Commitment: Human Relations in Librarianship* (Connecticut: Greenwood Press, 1979), p. 133.

㉒ Abe Wagner, *The Transactional Manager: How to Solve People Problem With Transactional Analysis* (Englewood Cliffs, N. J.: Prentice-Hall, 1981), pp. 92-98.

㉓ David C. Taylor, *Managing the Serials Explosion* (N. Y.: Knowledge Industry Publications, 1982), p. 137.

〔參考書目〕

中文部份

沈寶環。「聽！仔細的聽──圖書館員與讀者之間如何溝通問題之研究」。
　　圖書館學刊第 5 期（民國76年11月），頁1-12。

何光國。「做到老，學到老──也談圖書館員的繼續教育」。**臺北市立圖
　　書館館訊** 4 卷 3 期（民國76年 3 月），頁4-7。

────。「我國十六所大學圖書館規模大小及服務條件之統計分析」。**中
　　國圖書館學會會報**36期（民國73年12月），頁65-92。

高錦雪。**角色定位與圖書館之發展**。臺北：書棚，民國78年。

────。「參考服務的基本觀念與技巧」。**中國圖書館學會會報**32期（民
　　國69年12月），頁29-36。

徐木蘭。**行為科學與管理**。臺北：三民，民國72年。

許士軍。**管理學**。臺北：東華，民國71年。

張東哲。「加速我國圖書資訊事業幾條障礙較少的途徑」。**圖書館事業合
　　作與發展研討會會議紀要**（民國70年 6 月），頁61-74。

張樹三。「專門圖書館行政探源」。**圖書館學刊**16期（民國75年 6 月），
　　頁40-64。

────。「中華民國專門圖書館現況調查統計分析」。**中國圖書館學會會
　　報**37期（民國74年12月），頁47-62。

黃世雄。**現代圖書館系統綜論**。臺北：學生，民國74年。

楊美華。**大學圖書館之經營理念**。臺北：學生，民國78年。

鄭雪玫。「人際溝通與讀者服務」。**沈寶環教授七秩榮慶祝賀論文集**。臺

北，學生，民國78年。

劉錦龍。「圖書館作業改善研究（上）」。**教育資料與圖書館學**17卷 3 期
（民國69年 5 月），頁2-7。

鄧東濱。**管理人語**。臺北：時報，民國71年。

──。**談判手冊：要領與技巧**。臺北：長河，民國73年。

蔡麟筆。**我國管理哲學與藝術之演進和發展**。臺北：中華企管發展中心，
民國73年。

謝安田。**企業管理**。臺北：五南，民國71年。

盧荷生。**圖書館行政**。臺北：文史哲，民國75年。

藍乾章。**圖書館行政**。臺北：五南，民國71年。

──。「老兵諍言」。**圖書館學刊**15期（民國75年12月），頁1-2。

英文部份

Berne, Eric, *Games People Play*. New York: Grove, 1967.

Conrad, Roberta, "The Asking of Questions and the Offering
of Services." *Illinois Libraries* 67 (Jan. 1985): 34.

Conroy, Barbara, and Jones, Barbara Schindler. *Improving
Communication in the Library*. Phoenix, Ariz: Oryx. Press,
1986.

Davis, Keith, *Human Behavior at Work*. N. Y.: McGraw-Hill,
1972.

Dehart, Florence E. *The Librarian's Psychological Commitment:
Human Relations in Librarianship*. Connecticut: Greenwood
Press, 1979.

Edelman, Hendrik. *Libraries and Information Science in the*

Electronic Age. Philadelphia: ISI Press, 1986.

Fayol, Henri, *General and Industrial Management* London: Pitman, 1949.

Griffiths, Jos'e-Marie & King, Donald W. *New Directions in Library and Information Science Education*. New York: KIP, 1986.

Harris, Thomas A. *I'm OK-You're OK: A Practical Guide to Transactional Analysis*. New York: Harper & Row, 1966.

Irving, Jan. "From Sleep to Shirt: Intergenerational Approaches to Library Program." *Illinois Libraries* 67 (Jan. 1985): 82-83.

Johnson, Ferne, ed. *Start Early for an Early Start*. Chicago: ALA, 1976.

Katz, Robert L. "Skills of an Effective Administrator." *Harvard Business Review* 52 (September/October 1974): 90-102.

Leerburger, B. A. "Marketing Academic and Special Libraries." in *Issues in Library Management*. New York: Knowledge Industry Pub. 1984.

Mathews, Anne J. *Communicate! A Librarian's Gudie to Interpersonal Relations*. Chicago: ALA, 1983.

Nan, Lin, *The Study of Human Communication*. Indianapolis: Bobbs-Merrill, 1973.

Peterson, E. et al., *Business Organization and Management* Homewood, Ill.: Richard D. Irwin, 1962.

Powell, Judith W. and Lelieuvre, Robert B. *Peoplework: Communication Dynamics for Librarians*. Chicago: ALA, 1979.

Rogers, E. M. and Agarwala-Rogers, *Communication in Organization* New York: Free Press, 1976.

Schneider, A. E. Donaghy, W. C. and Newman, P. J. *Organization Communication* N. Y.: McGraw-Hill, 1975.

Shannon, C. E. and Weaver, W. *The Mathematical Theory of Communication*. Urbana, Ill.: Univ. of Illinois Press, 1949.

Shera, Jesse H. *Introduction to Library Science*. Littleton, Colo.: Libraries Unlimited, 1976.

Wagner, Abe. *The Transactional Manager: How to Solve People Problem With Transactional Analysis*. Englewood Cliffs. N. J.: Prentice-Hall, 1981.

第十六篇

從「比較管理利盆定律」
評析中小學圖書館的結構管理

從「比較管理利益定律」
評析中小學圖書館的結構管理

一、問題陳述

　　圖書館管理學家常對各類型圖書館的缺失進行診視，並企圖開出各種切中時弊的良方來救治圖書館經營上的諸多病象，其中對組織結構（Organizational Structure）的解析便是組織經營診斷（Organizational Diagnosis）的一大重點，檢視圖書館的組織圖（Organization Charts）可看出該館的各種正式結構關係；例如各職位的直線關係、各部門職能的劃分、組織未來發展趨勢等。準此，探討圖書館組織分部化（Departmentalization）時，圖書館學者大抵皆會附錄各類型圖書館的組織系統圖，進而闡述圖書館內部的分工（Division of Labor）與協調（Coordination）關係。然我國學校圖書館（School Library）組織結構定位相當模糊，導致國內圖書館行政專著鮮有析論學校圖書館組織結構系統者，這種結構管理上所存在的缺陷，近則不利於中小學圖書館業務的進行，長遠則對整體讀者利用教育的養成，甚至圖書館事業的健全發展，都會產生負面的影響。本此，適時調整學校圖書館之組織結構，同時確切檢討其內部授權與分工的各種難題，乃是診斷學校圖書館經營的焦點所在。

　　本文作者以管理學中的「比較管理利益定律（law of comparative managerial advantage)」來引證中小學圖書館經營中急需輔以授權措施,以便漸次調整學校圖書館的地位,進而能使爲數衆多的中小學圖書館散發其應有的功能。

二、「比較管理利益定律」的啓示

管理學者認爲組織的規模成長到某一種程度時勢必要採行有效的授權,但如何才能達到授權的效果?管理名家孔玆及奧登尼爾 (Harold Koontz & Cyril O'Donnell) 在其合著的「管理學 (Management)」一書裏提及:「…管理者必須記住一條定律——可稱爲比較管理利益定律,類似於關於國家利益的比較經濟利益定律(law of comparative economic advantage)。這定律說:一個國家倘輸出其最能有效生產的產品,並輸入其最不能有效生產的產品,則對國家最爲有利。同理,一位管理者倘能集中其本人的時間精力於對有貢獻於組織目標的任務,而將其他的任務分配於部屬擔任,才能對組織產生最大的利益。」❶依此;學校圖書館的運作應在專業理念(Professionalism)的規範下,貫徹分層負責,藉以強化中小學圖書館組織結構的嚴整性。詳細言之,就比較管理利益定律的尺度來衡量,我國學校圖書館的發展似應往以下幾個方向努力,始可迎頭趕上歐美現代化國家:

㈠ 敎員兼圖書館員(Teacher-Librarian)制度的調整

往昔我國中小學圖書館多採敎員兼圖書館員制度,藉此可收敎學與研究進修相互配合、指導學生閱讀,提供學生參考諮詢服

務等良好效果❷。但相對的，如教師未接受專業訓練，不知如何來經營圖書館，亦容易讓學校圖書館的存在變得有名無實。加上中小學教師課業繁重，在忙碌的工作壓力下兼任圖書館工作，常無法好好地來推展館務，以至於使教師兼任館員僅為掛名或流於形式。有鑑於此，似乎可將教員兼任圖書館員制度修改為「圖書館員兼任教員」制，這樣才能確立學校館員的專業權威，矯正兼職（part-time）制度下績效不彰的通病。如要將行之多年的教師兼任館員制改為館員兼任教師制，不具教師資格的館員可鼓勵其補修教育學分，使其在專任專業館員（full-time professional　librarian）的角色下，時時從事研究、不斷改善服務水準外，尚擁有兼任教師（part-time　teacher）地位，每週酌量上若干課程，這樣也能保持原來教師兼館員制所具備的長處。總之，為充份發揮學校圖書館的功能，在教師與館員兩種地位配置後所帶來的比較利益上作權衡，現行體制似乎有修正的必要。

㈡　**學校圖書館應確立它是一獨立自主的單位（Autonomous Units）**

　　圖書館是學術的銀行，知識的水庫。在我國大學圖館已有明確的地位，且已立基於學校中一級單位之林。反觀，中小學圖書館的地位尚未成型，從一所中小學的組織結構系統圖觀察，可以發現圖書館這個象徵性的符號常被擺在教務處下，渾然一體，未見其分工治事，這顯示我國學校圖書館不但地位低落，而且功能普化（Diffusion），毫無分化可言，此為我國中小學圖書館結構先天不良之地方。倘若學校行政主管再肆安插非專業人員

(Clerical Staff) ，加上教員兼圖書館員人事制度的不健全，
極可能使圖書館流爲櫥窗上的裝飾品 (Window dressing) ，
不具實質意義。

就教育學原理而言，現代的學校教育不僅要求學生學習讀書
方法，而且要培養其自我啓發、自我訓練和自我評價的精神，更
要造就學生具有運用資料解決問題的能力。因此，中小學圖書館
在學校教育上佔有重要的地位，往後的歲月裏，學校圖書館的經
營應在結構管理上多下苦功，務必使其按照設立宗旨劃分爲許多
業務與權責不同的部門，卽徹底採行授權並貫徹分層負責，這樣
才能適應中小學組織規模日漸成長的需求。惟有學校圖書館組織
權責明確，亦始能杜絕機關首長任用私人的弊端，如此一來，專
業館長必能夠集中精力、付出心血以致力於組織目標的達成，且
依授權原則將職權往下遞授，自能收人事相稱 (Right man on
the right place) 的效果。

㈢　法令規章的整編與修訂

根據比較利益的觀點，圖書館主管須專心盡力於經營方針
的策訂與管理使命的達成，至於日常館務推動中的例行性決策
(Programmed Decision) 實應委諸於部屬來承擔，這才可使
圖書館運作符合成本效益 (Cost-Benefit Analysis) 的要求。
然何者屬於非例行性決策 (Unprogrammed Decision) ？何
者屬於一般性瑣務？其間的分野率以法令規章爲準繩，要知法規
爲學校圖書館設立的依據，治事的張本；惟有健全的法規才能確
立中小學圖書館合理的配賦及編制，有合理可行的編制也才能使

學校圖書館結構完整、運轉靈活，只有讓學校圖書館在圖書、人員、經費及館舍設備等各方面的基本條件能趕上其他類型圖書館的水準，其方可眞正擺脫傳統積弱不振的陰影。

今日爲依法行政（Administration According to Law）時代，圖書館行政的推動乃日趨主動、積極及彈性化，其往往在不同的行政法規授權下，以進行各式各樣讀者服務（Reader's Service）的措施及活動。就此，中小學圖書館適用的法規與標準或則陳舊，不則殘缺。爲因應福利國家時代法治（Rule of Law, Not of Man）精神的呼聲，主事者應明白法之不善，猶愈於無法的道理；此刻該是通盤檢討學校圖書館行政法規的時候。

以上乃就比較管理利益定律的告誡，管陳今後學校圖書館應該努力的三個方向，蓋法規影響編制，編制波及人事，一言以蔽之；上面所揭示的人事制度、編制自主及法規完備三者，根本上就是學校圖書館結構管理的問題。往昔中小學圖書館經營，教員兼任館員、館地位處於附庸狀態、法令規章郭公夏五、斷簡殘篇，無怪乎學校圖書館弊端叢生、積重難返了。今日，政府宣佈解嚴、社會日趨開放，加上國民義務教育準備延長爲十二年之際，確實從事中小學圖書館結構管理的規劃、執行及考核，乃是救治學校圖書館病象的一帖良方。

三、學校圖書館組織管理問題的再檢討

除理論推演外，吾人再以圖書、人員、經費及設備四個標準來檢視中小學圖書館組織與管理所面對的問題，茲依序說明如

下：

㈠ 圖　書：

　　各個學校圖書館普遍缺乏長程的館藏發展政策（Collection Development Policy），館藏資料的數量與品質相當低落，且欠缺完整的目錄，對圖書資料的檢索常構成不便。各級學校均無開授「圖書館利用」課程，培養學生利用圖書館的習慣，只見升學主義氣氛籠罩下，學生進出閱覽室次數頻繁，參考室設置可有可無、形同虛設。綜觀中小學圖書館的運作，泰半均未能配合學校教學活動對館藏做有效的運用。

㈡ 人　員：

　　學校圖書館地位尤待提高，中學圖書館大部份隸屬於教務處，小學圖書館地位更不明確，有屬於校長、教導主任、事務組等不同單位。大部份均欠缺獨立自主權。專業館員佔全館工作人員的比例，仍嫌偏低。這對學校圖書館的正常發展，影響頗鉅。

　　依中學圖書館標準草案規定：中學圖書館應聘請大學圖書館相關科系畢業並取得教員資格者，或對圖書館經營具有二年以上經驗之教員主持館務。此規定類似前面筆者所提之「館員兼教員」構想，如不適度調整教員兼館員人事制度，那麼教師們授課時數重多，焉有餘力銳力於館務發展？現今中小學圖書館常可見到校長指派專任教師掌管館務，甚至於小學行政系統中囿於缺乏圖書館建制的規定，目前只由教導主任兼任館務，這樣一來，行政主管或老師兼辦館務，常易淪為掛名，或僅掌管鎖匙，負責保管圖

書，使圖書館的成立徒具形式。❸

㈢ 經　費：

中小學圖書館由於法令規定有欠明確，致無法編列固定預算，經費短絀爲普遍現象。據調查資料顯示，高中圖書館預算主要仍由政府指撥，國中圖書館則由隸屬學校指撥爲主，國小圖書館多半由私人或基金會捐贈，俗諺：「巧婦難爲無米之炊。」學校圖書館在學校中的地位不定，財力資源極爲匱乏，推動圖書館業務自屬不易。❹

㈣ 館舍設備：

理論上學校圖書館最低限度應有書架、閱覽桌椅、目錄櫃、出納臺、雜誌架、日報架、字典架等設備。所用之傢俱設備得參酌實際需要，並依傢俱圖樣添置之。然在實務運作，中小學圖書館的硬體結構常顯現不合時宜的窘態，其設備只能提供讀者（卽師生）閱讀的空間罷了；隨著資訊科技的發展及圖書館建築理念的創新，大抵而言，各類圖書館的館內擺設通常採用彈性佈置方式（Free-Form Layout）以資適應實際館務推展的需求。今後中小學圖書館的硬體規劃應擺脫組織僵化（Organizational inflexibility）的窠臼，力求在讀者服務及技術服務兩大系統的平衡與充實。

揆諸上面所陳剪不斷、理還亂的我國學校圖書館所面臨的各種組織與管理上的難題，正本清源之計，惟有妥善規劃出一套結構管理的策略，以便適度合理的來統籌應用圖書、人員、經費及

設備等四大學校圖書館構成要素，這樣才可扭轉組織體經營劣勢；具體而言，結構管理的推展必須「軟硬兼施」、「剛柔並濟」，以管理的主體指導管理客體（即人駕馭財、事、物）之方式進行，待組織結構系統確立、制度觀念內化（Internalize）於人心之時，中小學圖書館定能重新塑造其嶄新的形象。管理既然是羣策羣力，以竟事功的一套程序，未來學校圖書館經營能否由剝而復、轉危爲安，可說全繫於管理者的經營理念（managerial philosophy），即圖書館館長的決策規劃能力。從結構管理的觀點來看，未來學校圖書館軟體、硬體設備齊全後，還要領導人物懷有「兩利相權取其重、兩害相權取其輕」的比較利益觀；積極進行例外管理（Management By Exception），斯方可加速學校圖書館邁向現代化的步調。

四、學校圖書館結構管理的憧憬

現代學校圖書館具有圖書館和視聽資料中心雙重性質，因此，中小學圖書館常被視爲「教育資料中心（Educational material center）」、「學習中心（Learning center）」或「教育媒體中心（Instructional media center）」❺，順應未來我國國民義務教育的發展，學校圖書館的組織設計似須考慮目標、技術、任務、人員與結構間的配合，茲以圖16-1說明之：

從圖16-1五大因素的互動關係裏，不難看出未來學校圖書館的結構管理仍是目標導向（Goal-oriented）的，在其管理哲學或基本價值觀的引導下，投入一流的人力資源、技術與情報，再經由採訪（Collection）、分類編目（Cataloging & Classif-

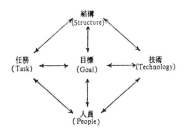

圖16-1:中小學圖書館結構管理應考慮的五大因素

ication)、流通 (Circulation & Communication)、館際合作 (Cooperation)、圖書館電腦化 (Computerization) 等步驟（即圖書館日常工作的5個C），將投入轉換 (Conversion) 成最佳產出（outputs），以使中小學圖書館能圓滿完成它所肩負的多重使命。換言之，學校圖書館結構規劃是以獲致目標為重點，經由人員（指館員、師生們）與制度（含結構、技術及工作等）最密切的完善配合來實行。俗諺：「形勢是客觀的，成之於人；力量是主觀的，操之在我」；中小學圖書館靜態的結構 (Static Structure) 要變成動態的功能 (Dynamic Functions)，其間主要的關鍵在人。只有人人有定事、事事有定人；館內上下人員得因名循實、分層負責。那麼，學校圖書館的結構管理才可稱得上已步入正軌。前面提及，奧登尼爾及孔茲二人所提出的比較管理利益定律，正是在喚醒結構管理過程裏，須注意人力資源的妥善調整，務必貫徹職權下授原則，讓館員們在責有專歸、適材適所的工作環境中充份發揮自己的潛能。準此，展望未來學校圖書館的組織結構設計，可朝下面幾個方向作適度的調

整或修正：**❻**

㈠將機械性的結構 (Mechanistic Structure) 修改爲機體性的結構 (Organic Structure)。

㈡將剛性的封閉體系（Closed System）調整爲彈性的開放體系 (Open System)。

㈢將縱深式的組織結構（Tall Structure）適度轉化成扁平式的組織結構 (Flat Structure)。

㈣將工作導向（Task oriented）式的管理變爲員工導向 (Employee oriented) 式的管理。

將來我國中小學圖書館，果能往以上所提議的四個方向作調整，其必能脫胎換骨、起死回生，眞正變成一個有生命的有機體 (a living organism)。

五、結　語

古時杜秋娘的七言樂府提到：「勸君莫惜金縷衣，勸君惜取少年時；花開堪折直須折，莫待無花空折枝。」的確，以花開花謝來喩人生，花開的時候就像人的青春少年，它充滿活力與希望最爲珍貴。因此，如何培育國家未來的主人翁，導引徬徨徘徊於人生起點的青年、少年們，中小學圖書館實應發揮它正面的服務性功能，確實做到對中小學學生們心智的陶冶啓廸，困惑的指點迷津等要務。爲此，適値政府有意延伸國民義務教育年限之際，從結構管理根本處著手來檢討學校圖書館的組織建制，尤其是以比較管理利益定律的尺度來規劃中小學圖書館的結構系統，乃是一件極爲有意義的事。

〔附　註〕

❶ Harold Koontz & Cyril O'Donnell, *Management* (New York: McGraw-Hill Book Co., 1988), ch. 12.

❷ Mary P. Douglas著，沈寶環譯，**教師象圖書館員手冊**（臺北：中華文化事業社，民國47年），頁1-10。

❸ 藍乾章，**圖書館行政**（臺北：五南，民國71年），頁46。

❹ 王振鵠，**建立圖書館管理制度之研究**（臺北：行政院研究發展考核委員會，民國74年），頁23-46。

❺ 莊耀輝，**精準圖書館學上冊**（臺北：文泉出版社，民國76年），頁156。

❻ L.A. Martin, *Organization Structure of Libraries* (N.J.: Scarecrow Press, 1984), pp.1-7.

〔參考書目〕

中文部份

王振鵠。**學校圖書館**。臺中：東海大學圖書館，民國50年。

———。**小學圖書館**。臺北：正中，民國69年。

李文絜。**臺北市國民中學圖書館 調查研究**。 國立臺灣大學 圖書館學研究
　　所，碩士論文，民國71年。

李建興、林孟眞。**臺北市國民中小學圖書館設置及作業規範設計之研究**。
　　臺北：臺北市政府研究發展考核委員會，民國74年。

范承源講。「美國之學校圖書館」。**國立中央圖書館館訊** 3 卷 1 期（民國
　　69年 4 月），頁111。

高錦雪。「小學圖書館的利用」。**兒童圖書與教育** 1 卷 6 期（民國70年12
　　月），頁 5。

郭碧明。**美國學校圖書館媒體中心館藏規劃之探討**。高雄：復文，民國77
　　年。

劉貞孜。**國小圖書館媒體中心利用教育**。臺北：文景，民國78年。

盧荷生。**中學圖書館的理論與實務**。臺北：著者，民國60年。

———。「論當前中學圖書館之經營」。**中國圖書館學會會報**第36期（民
　　國73年12月），頁1-8。

———。「學校圖書館的回顧與前瞻」。**中國圖書館學會會報**第35期（民
　　國72年12月），頁52-55。

———。「 從中小學圖書館的特 點論其未來發展 」。 **臺北市立圖書館館
　　訊**，6 卷 1 期（民國77年 9 月），頁1-7。

盧震京。**小學圖書館概論**。臺北：臺灣商務，民國57年。

鮑洪生。**小學圖書館**。臺中：臺中師範專科學校，民國56年。

藍乾章。**圖書館經營法**。臺北：書藝，民國67年。

蘇國榮。**國民中小學圖書館之經營**。臺北：學生，民國78年。

──。**國民小學圖書館經營之研究**。私立中國文化大學史學研究所圖書
文物組，碩士論文，民國76年。

──。「論國小圖書館利用教育」。**國立中央圖書館館刊新** 18 卷 1 期
（民國74年 6 月），頁116。

嚴文郁先生八秩華誕慶祝委員會。**嚴文郁先生圖書館學論文集**。臺北：輔
仁大學圖書館學系，民國72年。

英文部份

American Association of School Librarians. *Media Programs:
District and School*. Chicago: ALA, 1975.

Bonn, George S., ed. "Science Materials for Children and
Young People."*Library Trends* 22 (April 1974): 13-24.

Charter, Jody, "An open invitation? Access to secondary
school library media resources and service·" *School
Library Media Quarterly* 15 (Spring 1987): 158-160.

Chelton, Mark K. "Issues in Youth Access to Library Servic-
es." *School Library Media Quarterly* 14 (Fall 1985): 21-25.

Fenwick, Sara Innis. "Library Service to Children and Young
People".*Library Trends* 25 (July 1976): 13-24.

Hennessy Jr., Edward L. "The Raiders Make It Harder to
Compete," *New York Times,* March 13, 1988, p.F3.

Ladley, Winifred, ed. "Current Trends in Public Library Service to Children." *Library Trends* 12 (July 1963): 10-23.

McColvin, Lionel, R. *Libraries for Children*. London: Phoenix House, 1961.

McDonald, Frances M. "Information Access for Youth: Issues and Concerns." *Library Trends* Vol 37. no.1 (Summer 1988): 35-41.

Nitecki, Joseph I. "Cognitive Processes and Librarianship: A Review of Literature in Search of a Model." *Current Studies in Librarianship* 2(1&2) (Spring/Fall, 1987): 3.

Orr, J.M. *Libraries as Communication Systems*. Westport, Conn.: Greenwood, 1977.

Osburn, Charles B. *Academic Research and Library Resources: Changing Patterns in America*. Westport, Conn.: Greenwood, 1979.

Prostano, Emanual T. & Joyce S. *The School Library Media Center*. Littleton, Colo.: Libraries Unlimited, 1987.

Sattley, Helen R. "Children Come First," *Library Journal* 77 (Apr. 15, 1952): 670-674.

Seymour, Jr., Whitney. North. and Layne, Elizabeth. N. *For the People: Fighting for Public Libraries*. New York: Doubleday, 1979.

Spain, Frances L., ed. *Reading Without Boundaries: Essays presented to Anne Carroll Moore on···the Fiftieth Anniversary of Service to Children at the New York Public Library*.

New York: New York Public Library, 1956.

Stebbins, Kathleen B. *Personnel Administration in Libraries.* 2d ed. N.J.: Scarecrow Press, 1966.

Taylor, David C. *The High Cost of serials: Issues in Library Management.* N.Y.: White Plain, 1984.

Weech, Terry L. "School and Public Libray Cooperation— What We Would Like to Do, What We Do," *Public Libraries* 18 (Summer 1979): 33-4.

Winnick, Pauline, "Evaluation of Public Library Services to Children," *Library Trends* 22 (January 1974):361-76.

Worthy, J.C. "Organizational Structure and Employee Morale". *American Sociological Review* 15 (1950):169-179.

結　論

結論：走過從前，邁向未來

　　圖書館學是社會科學之一，展望「地球村(The Global Village)」社會的逐漸形成，圖書館經營應以「無圍牆 (Without-Wall)」的理念來落實其開放的有機體 (open organism) 之本質。筆者深切以爲圖書館組織與管理的成功須內在條件與外在環境的配合，省思我國圖書館事業的發展，在內在條件似應留意技術服務與讀者服務的互動性，館藏管理不可盲目的只求數量增加，需知任何的有機體均有成長的極限 (The Limits to Growth)，講究精緻化的今日，零成長 (Zero-Growth)亦未必是一件壞事；另圖書館旣是一個有生命的有機體 (a living organism)，它註定要不斷適應環境以調整自己的經營方向，圖書館面對總體環境的衝擊，諸如特殊讀者（Special population）的增加，紙張的爆破 (Paper Explosion) 等，究應如何自存，以維持其動態平衡 (Dynamic Equilibrium) 體系，此一系列問題的探索，正待學界羣策羣力積極的去發掘解決問題的答案。理論是實務的指南，實務是理論的落實，筆者治圖書館管理學，亦兼涉圖書館實務，本書之告成，卽是在求理論與現實間可有一共識的圓點，也是尋求解決我國圖書館管理問題的一個新的起點。撫今追昔，我國圖書館事業發展尙未臻於完美；綜合本書諸定律之研究，未來我國圖書館管理似乎可朝以下兩個方向努力：

一、見樹亦見林的境界

　　圖書館的價值與未來是毋庸置疑的，但極端專門化、技術化的研究會造成對一個極狹窄的領域可以無所不知，而對該領域以外的事物則可以一無所知的怪現象，這種學術上楚河漢界、劃地自牢的心態，形成了見樹不見林，知偏不知全的缺憾，影響圖書管理領域之拓展，❶蓋孤索冥探雖可有一技之專，但究難統括事理之全，二次大戰以降，諸學科合作統一的研究取向，值得圖書館管理研究所取法；總之，經由這次豐碩的學術之旅，殷盼圖書館管理定律之研究可爲圖書館帶來見樹亦見林的景觀。

二、由高原而攀越巔峯

　　隨著 政府文化 建設如 火如荼 的推展 ，外加 人民生 活素質 (Quality of Life) 的提高；圖書館管理面臨的瓶頸，意謂著圖書館實務運作已陷入「管理高原 (Managerial Plateau)」階段，盤根錯節的管理難題，正待一套切中時弊的經營策略以謀對應，圖書館管理研究在我國社教機構（博物館、音樂廳、美術館）中既居主導性的關鍵地位，作者期望管理定律的導引能提昇圖書館經營的效率與效能，再度造成圖書館組織生產力（Productivity）的高點，從而使圖書館運作由高原順利攀越巔峯。❷

　　西方人士慣以「貪婪之島」、「富裕中的貧窮」來調侃臺灣地區文化水準之不足，圖書館是脫序社會 (Anomie Society) 裏「正人心，息邪說、詎詖行」的一盞精神明燈，它亦負有教育人民，重塑國家形象的使命，展望廿一世紀機構性社會（Insti-

tutional Society）的到來，各個組織的經營管理日漸重要，❸
圖書館應積極採行當代管理科學方法，改造組織，整裝待發，以
便在公元二〇〇〇年綻放光芒。

〔附 註〕

❶ 許士軍，**管理學**（臺北: 東華，民國70年），頁1-28。

❷ Judith M. Bardwick 原著，王克捷、李振昌合譯，**從高原到巔峯**（臺北: 中國生產力中心，民國79年），頁1-24。

❸ Peter F. Drucker, *Management: Tasks, Responsibilities, Practices* (London: Heinemann, 1974), pp.3-4.

〔參考書目〕

Bommer, Michael R. W., and Chorba, Ronald W. *Decision Making for Libiary Management*. White Plains, N. Y: Knowledge Indusry Publications, 1982.

Cowley, John. *Personnel Management in Libraries*. London: Clive Bingley, 1982.

Hicks, Warren B., and Tillin, Alma M. *Managing Multimedia Libraries*. N. Y. : R. R. Bowker, 1977.

Jefferson, George. *Public Library Administration: An Examination Guidebook*. 2nd. ed. London: Clive Bingley, 1969.

Lowell, Mildred Hawksworth. *Library Management Cases*. Metuchen, N. J.: Scarecrow, 1975.

Lyle, Guy R. *The Administration of the College Library*. 4th ed. N. Y.: H. W. Wilson, 1974.

Rogers, R. D., and Weber, D. C. *University Library Administration*. New York: H. W. Wison Co., 1971.

Stebbins, Kathleen. B. *Personnel Administration in Libraries*. N. Y.: Scarecrow, 1958.

Stueart, Robert D. and Moran, Barbara D. *Library Management*. 3rd ed. Littleton, Colo.: Libraries Unlimited, 1987.

White, Ruth M., and Ferguson, Eleanor A., eds. *Public Library Policies.—General and Specific*. rev. ed. Chicago: ALA, 1970.

索　引

中英文人名索引

中 文 索 引

五劃

七劃

十四劃

十五劃

英 文 索 引

A

HR see Human Relations 270
HRM see Human Resources Management 63,177
Humane 276
Human Engineering 218
Humanistic Education 305
Humanity 306
Human Relations (HR) 270,302
Human Resources 217,279
Human Resources Management (HRM) 63,95
Hygiene Factors 87,196

I

I-C-O 26
Idea Innovation 144
IFLA 137,138,177
Ill-structured problem 257
Impersonal 216
Incentives 81
Individual Decision 231,252
Individual Difference 153
Industrial Revolution 174
Informal Communication 296
Information Center 64
Information Demand 201
Information Explosion 54,135,193
Information Gatekeepers 24
Information Power 52
Information Service Center 55

Q

Utility　235

V

Verbal Message　303
Vertical Communication　290
Vicious cycle　85,236
Videodisc　214
Videotex　214
Viewer　214
Voluntary behavior　272
Voyeurism　154

W

Welfare state　88
William's Law　65
Window dressing　236,320
Without Wall　335
Work Group　279
Work pattern　279
World Economy　125
Written Selection Policy　119

Z

Zero-Defects (ZD)　139,250
Zero Growth　335
Zero-Inventory　141,250

後　　記

「衣帶漸寬終不悔，爲伊消得人憔悴」，圖書館管理定律之研究一書終於脫稿了，書成之日，望著一堆堆厚重的書籍、文獻，想起這兩、三年來利用課餘時間從事寫作的情景，激夜筆耕硯田，不自覺忽見東方露白，這箇中滋味，實讓作者終生難以忘懷，個人相信喜歡讀書、喜歡寫作永遠是種美德，但願這本書的提出，可爲這美德貧乏的世界，增添一份新的喜悅，

這本書可將其視爲一位企管碩士（MBA）轉念圖書館學的心路歷程(一般常見的是從圖書館學改讀企業管理)，多年來作者不以企業導向（總經理、經理等職位）爲個人前程規劃（Career Planning)的目標（儘管同期同學位據企業要津者比比皆是），而獨鍾愛圖書館管理研究，無非是深受愛書與知書的性格所影響，我國圖書館界耆宿藍乾章先生認爲「愛書」與「知書」，是身爲一位圖書館員的基本條件，作者自我省思，似乎約略符合了這兩個條件的要求，往後作者不但以一位快樂的圖書館員爲榮，也恒以一位圖書館管理研究的園丁自居，積極的追隨業界、學界先進來開墾這塊管理新的領域。

另外這本書也是作者教學十年來的一點心得，本人參加教育服務行列，一晃已過十年，在這不算短的歲月裡，以講授「企業管理」、「圖書館管理」及「檔案管理」等課程爲主，今學生們

士、農、工、商各得其所，獲取碩士學位者亦不在少數，得天下
英才而敎之的喜樂，實筆墨所難形容 ， 出書在卽 ， 謹以個人每
每於圖書館管理課程講授到最後一課時，常用以勉勵大四同學的
話，摘錄於下，以饗讀者：

一、以情人的眼來關懷我們圖書館的周遭事物。

二、拿詩人的心來美化我們圖書館的館舍環境。

三、揮俠客的劍來伸張我們圖書館的專業權威。

四、用英雄的膽來創造我們圖書館的管理奇蹟。

附　　錄

Abstract for Each Article

1. Five Laws of Library Science & Library System Analysis

The author discusses the application of the Five Laws of Library Science on library management by the approach of system analysis. The content includes the origin of the Five Laws, their relations with the organization, and how to follow the Five Laws to design and analyze the structure of the library.

2. The Iron Law of Oligarchy and The Designation System of Library Director

The Iron Law of Oligarchy was first proposed by Robert Michels; it holds that however democratic the organization is in the beginning, it will certainly be manipulated by a few people. Observing the library organization based on the law, oligarchic monopoly will make the leader increasingly conservative. Therefore, the article advocates establishment of authority in the designation system of senior librarians and claims the merit system as the foundation of the personnel policy, that is, the Iron Law of Democracy in place of the Iron Law of Oligarchy.

3. Insight into Library Manpower Training from the Peter Principle and the Law of Increasing Conservitism

Librarian continuing education is the prerequisite for the growth and strength of libraries. Since human intellect degrades as one gets older, timely training of manpower is an effective way to provide state-of-the-art professional knowledge for librarians, to mend their lack of skills, and to satisfy their needs for self-development. The Peter Principle and the Law of Increasing Conservitism are both famous laws indicating the maladies in personnel administration, and thus worthwhile guidelines for human resources management of librarians.

4. Librarian Salary Policy in the Light of the Iron Law of Wages

The Iron Law of Wages was advocated by classic economist D. Ricardo and holds that salary is the most fundamental need to make a living. Seeing that what librarians have is heavy work and duty but low status and salary, the author uses the Iron Law of Wages to claim "Equal pay for equal work", "Full job, Full time, Full pay" as the basis of the library salary policy to promote librarians satisfaction with work and achieve modernized library salary management by accommodate the needs and benefits of the public, librarians and the government.

5. Hot Stove Rule and Librarian Disciplining

The presupposition of human nature is closely related to the style of library management. The famous managerial science expert Douglas McGregor proposed Theory X and Theory Y to assume human nature. In terms of library organization and management, it is an urgent issue of library human resources management to promote managerial efficiency and effectiveness by means of establishment and maintenance of order.

The article uses the Hot Stove Rule to discuss how the library, as a living organism, perform satisfactory discipling.

6. The 80/20 Rule and the Acquisitions Policy of Legal Literature

How the acquisitions librarians, the gatekeepers of collection development, gain the maximum effect with the minimum cost in the adversity of shrinking budget and rising prices of materials involves strategic planning of the acquisitions policy. According to the famous 80/20 Rule holding that crucial minority should count and trivial majority should not, the focus of acquisitions should be on core collection. In planning the establishment of National Central Library's Law Collection, NCL's Acquisitions Department has adopted the 80/20 Rule as the primary guideline for acquisitions of Legal literature.

7. Functions of CIP in the light of the JIT Theory

The production mode within libraries belongs to continuous production; the steps of processing materials are acquisition. classification, cataloging, storage, circulation and reference. Among them cataloging deals with transition of materials, yet today with information. explosion and publication pollution, the productivity of library technical service departments has declined apparently. Fortunately, the CIP (Cataloging in Publication) system advocated by the U. S. Library of Congress of in 1970s could solve the crisis. The author alludes the JIT (Just In Time) Theory in production management to explain the functions of CIP, hoping that we in R. O. C. can integrate CIP with managerial spirit when adopting it in order to achieve the trinity of acquisition, cataloging and circulation in library management.

8. McNaghten Rule and Problem Patron Service

From the viewpoint of the library manager, the library should help problem patrons, who are psychopaths, gain personality rehabilitation as soon as possible. The article alludes the McNaghten Rule to advocate psychopath impunity and alert librarians to pay attention to problem patrons, who are invisible danger in progress of human civilization, and urge a problem-solving system.

9. The Principle of Scientific Management and Operation of Children's Collections in Public Libraries

The Four Laws of Scientific Management was proposed by one of the leaders in managerial science Frederich W. Taylor in 1911. Scientific management means the managerial principle induced from fundamental practices and is at present adopted in various occupations. The Children's Collection is the basis of librarianship; the author advocates that scientific management be used to effectively manage the Children's Collection so that librarianship can get more rooted and fruitful.

10. Law of Color Preference and Library Environment Management

The issue of the article is the analysis of color arrangement in library environment management in terms of public management, and how to maintain the quality of the physical setting of the library through the approach of environment control. The author applies the Law of Color Preference in his discussion.

11. Law of Instrument and the Managerial Myth from Library Automation

It is beyond dispute that the amazing broadcasting power of information technology could bring man immense improvement and convenience, yet its impact has also caused some inevitable bad effects on human civilization. Considering the trend of librarianship, automation is inevitable and has been regarded as the synonym of librarianship revolution by professionals. Thus how to achieve maximum construction with minimum destruction has totally relied on the development of library management skills. The Law of Instrument proposed by Abraham Kaplan is sure to alert the libraries which adopt automation for automation's sake.

12. Law of Triviality and Group Decision-Making in Library Management

Group decision-making is characterized by the committee system, which is the opposite of the chief system. The common weakness of the committee is "meeting but not discussing; discussing but not deciding, deciding but not implementing", which has been mentioned in Parkinson's Law long ago. The Law of Triviality belongs to Parkinson's Law and holds that the meeting length of the committee is in inverse proportion to the significance of the topic. This warning is of great value with regard to group decision-making; if library management can rid itself of the Law of Triviality, the decision-making quality would be elevated.

13. Rules of Thumb and Creativity-Thinking of Librarian

Trying errors is growing and adapting to the environment is learning; creativity-thinking in behavior science is the essential approach to dig out the librarian's brain-mine. The article alludes Rules of Thumb, a kind of intuitive planning, to explain eultivation of the librarians' problem-sovling ability. The author introduces "Approaches to Development of Individual Creativity" and "Approaches to Development of Organizational Creativity", as well as several management methods under the Rules of Thumb, such as Management by Improvisation, Management by Crisis, Management by Objectives and Free Form Management, in the hope of ispiring librarians' managerial ideas.

14. Law of Effect and Library Organizational Behavior Modification

Organizational behavior modification is one of the tools for organizational development and it is based on Edward L. Thorndike's Law of Effect. The article uses them to discuss human resources management within the library, hoping that before the existing system is changed, the library can employ organizational behavior modification techniques to perform behavior reform on the librarians so that their potentials are developed, their attitudes altered and their personal quality is elevated to achieve perfect cooperation.

15. The Gangplank Principle and Library Organizational Communication

The Gangplank Principle was first proposed by the father of modern management Henry Fayol to argue that organizational communication be rid of the tradition of the Skeleton Principle and that parallel and oblique channels for communication be established. In addition to human communication between librarians and readers, internal organizational communication is a more important determinant of librarians' working mentality. The author alerts library managers to pay serious attention to the urgent issue of organizational communication.

16. Organizational Management of Shool Libraries in the Light of Law of Comparative Managerial Advantage

Since school libraries are often regarded as educational material centers, in order to adapt to the future development of compulsory education, it seems that design of the school library organization should take into account the interaction among the target, technique, function, organization and personnel, that is, inspect the school library organization in terms of fundamental principles of organizational management.

The author adopts the Law of Comparative Managerial Advantage, advocated by the two prominent experts in managerial science, Harold J. Koontz and Cyril O'Dannell to discuss the administrative problems of school libraries, attempting to alert the professional circle to put attention to the negative influence of the identity ambiguity of the school library organization in this country.

國家圖書館出版品預行編目資料

圖書館管理定律之研究
／廖又生著. --初版. --臺北市：
臺灣學生，民81
面； 公分－（圖書館學與資訊科學叢書；25）
含索引
ISBN 957-15-0341-X (精裝).
ISBN 957-15-0342-8 (平裝)

1.圖書館 - 管理

023   81000844

圖書館管理定律之研究（全一冊）

著 作 者：廖　　　　又　　　　生
出 版 者：臺　灣　學　生　書　局
發 行 人：孫　　　　善　　　　治
發 行 所：臺　灣　學　生　書　局
臺 北 市 和 平 東 路 一 段 一 九 八 號
郵 政 劃 撥 帳 號 〇 〇 〇 二 四 六 六 八 號
電　話：三　六　三　四　一　五　六
傳　眞：三　六　三　六　三　三　四
本書局登
記證字號：行政院新聞局局版北市業字第玖捌壹號
印 刷 所：宏　輝　彩　色　印　刷　公　司
地　址：中 和 市 永 和 路 363 巷 42 號
電　話：二　二　六　八　八　五　三
定價　精裝新臺幣四二〇元
　　　平裝新臺幣三五〇元
西 元 一 九 九 二 年 三 月 初 版
西 元 一 九 九 七 年 十 月 初 版 二 刷

02317　　版權所有·翻印必究
ISBN　957-15-0341-X（精裝）
ISBN　957-15-0342-8（平裝）

臺灣學生書局出版

圖書館學與資訊科學叢書